ÉMILE NELLIGAN

DU MÊME AUTEUR

Emile Nelligan. Sources et originalité de son œuvre. Ottawa, Editions de l'Université d'Ottawa, 1960, 349 p.

Les origines de l'Ecole littéraire de Montréal, dans *Thought.* Toronto, W. J. Gage, 1960, p. 211-225.

Histoire et critique littéraires au Canada français, dans *Recherches sociographiques.* Québec, Les presses de l'Université Laval, 1964, vol. V, no janvier-août, p. 11-51.

Poésie et symbole. Montréal, Librairie Déom, 1965, 253 p. (Collection Horizons).

En collaboration

Archives des lettres canadiennes

Vol. I – *Mouvement littéraire de Québec de 1860.* Ottawa, Editions de l'Université d'Ottawa, 1961, 212 p.

Vol. II – *L'Ecole littéraire de Montréal.* Montréal, Fides, 1963, 383 p.

Vol. III – *Le roman canadien-français. Evolution. Témoignages. Bibliographie.* Montréal, Fides, 1965, 458 p.

François-Xavier Garneau. Aspects littéraires de son œuvre. Ottawa, Editions de l'Université d'Ottawa, 1966, 208 p.

En préparation

Archives des lettres canadiennes IV, La Poésie canadienne-française, (en collaboration).

Le Voyage en Angleterre et en France dans les années 1831, 1832, 1833, par F.-X. Garneau (édition critique).

Paul Wyczynski

ÉMILE
NELLIGAN

MONTRÉAL et PARIS

La publication de cet ouvrage a été rendue possible grâce à une subvention du Ministère des Affaires culturelles du Québec.

Hommage à
ÉMILE NELLIGAN
*à l'occasion du vingt-cinquième
anniversaire de sa mort*

INTRODUCTION
À L'OEUVRE
D'ÉMILE NELLIGAN

La maison de la famille Nelligan, 260, ave Laval, à Montréal.
(Croquis de Claire Fauteux)

I. NASCUNTUR POETAE

Cacouna, en 1896, offrait un paysage agréable: dans des bouquets d'arbres les fenêtres des maisons luisaient comme des yeux attentifs; des sentiers de sable serpentaient vers les demeures à travers les champs et les collines. Et, par-dessus tout, l'église Saint-Georges, construite en 1810, assise un peu à l'écart des habitations, tenait, immobile, ses vitraux colorés contre la lumière chaude d'un juillet en plein épanouissement.

Au pied du village, le Saint-Laurent bleuâtre, presque noir, ondule mélancolique. C'est l'heure du reflux. Le fleuve, comme un boa fatigué, s'est rétréci dans son lit rocailleux, laissant voir les immenses pierres qui se chauffent au soleil, étrangement sculptées par l'eau depuis des siècles. De loin, elles ressemblent à d'énormes coquilles dont se parerait le fleuve aminci. Sur les bords, des falaises, petites grottes creusées par l'eau et le vent, attendent l'heure de la montée tandis que le courant leur apporte la sourde musique des clapotements dans une écume blanche, dans des éclaboussements rythmiques.

Dans le lointain, un horizon fuyant tremble sur la ligne noire des forêts. Plus loin encore, l'ombre d'une immense solitude se répand; le soleil l'empourpre à l'heure des aurores et des couchants, et la nuit la fige dans son immobilité astrale.

Presque régulièrement depuis une dizaine d'années, Emile Nelligan passe ses vacances d'été dans ce site reposant, loin de Montréal. Son père, employé du Ministère des Postes, a choisi cet endroit de villégiature; chargé d'inspection dans le district de la Gaspésie, il lui est plus facile de rejoindre ici sa famille et d'éviter ainsi, en fin de semaine, le long trajet de Montréal. Sa mère, elle aussi, aime quitter l'avenue Laval pour respirer l'air pur et jouir du soleil; ses deux sœurs, Gertrude et Eva, en sont également enchantées. Le séjour annuel à Cacouna est devenu une coutume dans la vie de David Nelligan, venu d'Irlande à l'âge de 12 ans, et dans celle de sa femme, née Emilie-Amanda Hudon, en 1856, à Kamouraska.

Emile Nelligan est né le 24 décembre 1879, 602 rue Lagauchetière, à Montréal. A l'été de 1896, il n'a que seize ans et demi et il s'abandonne volontiers à la rêverie. Quand il contemple le fleuve, son regard devient tellement triste qu'on dirait que l'adolescent entrevoit déjà la fin tragique de son destin dans la sombre profondeur du gouffre. Louis Dantin, son ami intime, esquissera de lui plus tard, dans sa célèbre *Préface*, ce portrait émouvant: « Une vraie physionomie d'esthète; une tête d'Apollon rêveur et tourmenté, où la pâleur accentuait le trait net, taillé comme au ciseau dans un marbre. Des yeux très noirs, très intelligents, où rutilait l'enthousiasme; et des cheveux oh ! des cheveux à faire rêver, dressant superbement leur broussaille d'ébène, capricieuse et massive, avec des airs de crinière et d'auréole... Dans l'attitude, une fierté, d'où la pose n'était pas absente, cambrait droit le torse élégant, solennisait le mouvement et le geste, donnait au front des rehaussements inspirés et à l'œil des éclairs apocalyptiques. » La méditation est permise au jeune poète au sein du paysage romantique de Cacouna. Il pressent déjà qu'il est destiné à une mélancolie précoce, à un repliement sur lui-même. A cet égard, le mot célèbre de Chateaubriand lui sied à merveille: « Je n'avais vécu que quelques heures, et la pesanteur du temps était déjà marquée sur mon front. »

De plus, son rêve de solitude est un rêve d'artiste. Depuis

deux ans la poésie fascine son esprit, et d'un attrait toujours plus fort. Sans savoir comment ni pourquoi, le jeune Nelligan est obsédé par les images et les rythmes qu'il avait d'abord découverts chez Millevoye et Lamartine et, tout récemment, chez Verlaine, Baudelaire et Rimbaud. Cette emprise de la poésie est plus qu'un désir, plus qu'un émerveillement: c'est déjà une sorte de frénésie qui marque son être de façon décisive. En pareille situation, son père ne le comprend point, sa mère le suit difficilement, ses sœurs l'observent d'un œil curieux. Aussi se détourne-t-il du monde ordinaire en se réfugiant dans sa propre tristesse dont il va faire l'objet unique de son exaltation.

Et pourtant, son enfance a été heureuse. Il se rappellera toujours les moments vécus à Montréal, au 602, rue Lagauchetière, et au 112, avenue Laval. Là, il s'abandonnait au bonheur de l'instant, inconsciemment llé au monde qui plus tard, se révélera à lui sous un jour décevant. Sa mère lui a joué les œuvres de Chopin et de Liszt, ce qu'il évoquera un jour dans ce tercet nostalgique:

> Clavier vibrant de remembrance
> J'évoque un peu les jours anciens
> Et l'Eden d'or de mon enfance [1].

Le souvenir vibre dans ces vers admirablement soutenus par la qualité musicale des rimes. Mais au travers de cette émotion d'apparence heureuse transparaît déjà le germe du mal romantique: une tristesse sans objet. Cette évocation traduit en effet une félicité simple mais irrévocablement perdue dans le passé.

L'origine de cette incurable mélancolie semble se trouver dans le sentiment très tôt puissant de la fuite du temps. Pour vivre sa propre solitude au milieu du monde qui passe, l'âme est déjà toute disposée à établir des correspondances secrètes entre la nature et l'homme: tous les

---

1.   Emile Nelligan, *Poésies complètes*, texte établi et annoté par Luc Lacourcière. (Coll. du Nénuphar) Montréal, Fides, 1952, *Clavier d'antan*, p. 47. Toutes nos références concernant les poèmes de Nelligan renvoient à cette édition.

deux sont soumis à la loi de la mort. Cette sensation a d'ailleurs des sources plus précises. A l'âge de neuf ans, le garçon fut frappé par la mort de son grand-père paternel. Un an après, le choc se répéta à l'agonie de Catherine Flynn Nelligan, sa grand-mère. La mort est donc doublement ancrée dans ses souvenirs. L'effroi mêlé de tendresse, la contemplation encore vague de la brièveté de la vie a pour centre et attrait le berceau associé au cercueil:

> Berceau, que n'as-tu fait pour moi tes draps funèbres ?
> Ma vie est un blason sur des murs de ténèbres,
> Et mes pas sont fautifs où maintenant je vais.
>
> Ah ! que n'a-t-on fixé mon linceul de tes langes
> Et mon petit cercueil de ton bois frêle et blanc,
> Alors que se penchait sur ma vie, en tremblant,
> Ma mère souriante avec l'essaim des anges [2] !

C'est à la rencontre des grandes vérités humaines que se modèle la vision du jeune poète pour toucher, par la voie de sa vive sensibilité, au cœur même du destin humain. Penché sur les signes de l'existence, Nelligan entrevoyait, dès le début de son expérience, la dimension universelle de la poésie.

A l'école Olier depuis l'automne de 1886, Emile apprenait les rudiments de la lecture et de l'écriture. Externe au Mont-Saint-Louis (1891-1893) et, après, pendant deux ans élève au Petit Séminaire de Montréal, il se montrait doué pour la version latine, l'histoire et la géographie. Mais une fois entré au Collège Sainte-Marie, en mars 1896, il ne put faire mieux que de présenter à ses parents, en juin, un bulletin médiocre. Il avait alors ce vague pressentiment que son cerveau n'avait pas été fait pour la rigueur des programmes scolaires. Au lieu de s'appliquer à l'étude des manuels, il empruntait des recueils de poésie à ses amis, à Joseph Melançon en particulier, et, en lisant *Le Samedi* et *Le Monde illustré*, il caressait timidement le rêve de devenir un émule de Millevoye, de Lamartine,

---

2. *Devant mon Berceau*, p. 48.

de Verlaine [3]. On opposait alors au collège la poésie classique à celle des romantiques. Le jeune élève se mit décidément du côté de Millevoye et de Lamartine en composant, en guise de dissertation, pour le père Théophile Hudon, s.j., son professeur et son oncle maternel, une sorte d'élégie qui se termine par ces accents mélancoliques:

> Cependant les feuilles tombent, tombent toujours, le sol est jonché de ces présages à la fois tristes et lugubres; dans la chaumière le silence solennel, la lampe jette dans l'appartement mortuaire une lueur funèbre qui se projette sur la figure blanche du cadavre à peine froid; la vitre est toute mouillée des embruns de la nuit et la brise plaintive continue à pleurer dans les clairières. La jeunesse hélas! du jeune malade, s'est évanouie comme la fleur des champs qui se meurt, faute de pluie, sous les ardents rayons d'un soleil lumineux.
>
> Que la nature, le bois, les arbres, la vallée paraissaient tristes ce jour-là, car c'était l'automne... et les feuilles tombaient toujours [4].

Il y a dans cette prose plus qu'une imitation de *la Chute des feuilles* de Millevoye, plus que la musique de l'*Isolement* de Lamartine. Le poète donne libre cours à son imagination. Le présent et l'imparfait se confondent dans la fuite du temps. Le paysage est vague dans son coloris automnal et seule la mort peut lui imprimer sa portée symbolique. Une tristesse sans nom fait glisser les rythmes et les images vers le moi profond. « Or, toute l'expérience humaine confesse, selon Edgar Poe, que ce ton (qui témoigne de la Beauté) est celui de la tristesse. [...] La mélancolie est donc le plus légitime de tous les tons

---

3. Il est à noter que les neuf premiers poèmes de Nelligan, publiés dans *Le Samedi* sous le pseudonyme d'Emile Kovar, entre le 13 juin et le 19 septembre 1896, portaient tous la mention « Pour Le Samedi ». C'est une preuve que Nelligan a participé, tout comme ses futurs amis, Joseph Melançon, Jean Charbonneau, Louvigny de Montigny et Henry Desjardins, au concours littéraire que le rédacteur Louis Perron avait inauguré le 9 mars 1895.

4. Fin de la composition que Nelligan rédigea le 8 mars 1896 et qui figure aujourd'hui dans l'*Album-Souvenir du Collège Sainte-Marie*, Souvenir annuel de l'année 1921, p. 494-495.

poétiques. [...] De tous les sujets mélancoliques, quel est le plus mélancolique selon l'intelligence universelle de l'humanité ? — La Mort, réponse inévitable [5] ».

A l'anxiété déjà bien perceptible dans cette esquisse élégiaque, s'ajoute une musique qui fait entrevoir le ton essentiel de la poésie de Nelligan. La musique pour lui est presque une manière de vivre, de percevoir et de sentir: elle imprégnera bientôt sa poésie. Ainsi se prépare le dépassement du mot sémantique, de la notion conceptualisée, au profit d'une signification polyvalente qui est le bien unique du créateur. Il faut noter à cette occasion que Nelligan a appris avec une facilité extraordinaire des mélodies et des morceaux de musique; mêlées à sa vision, des gammes chantaient en lui comme le vent dans les arbres. Joseph Melançon, ami intime de Nelligan, soulignera fort bien ce trait dans son article-souvenir:

> C'est qu'avant d'être un poète, Nelligan était musicien, musicien-né, sans connaître la musique. Combien de fois ne m'a-t-il pas fredonné, de mémoire, l'air de quelques extraits de Mozart ou de Bach, dont il avait entendu l'exécution sur un piano! Un jour que nous discutions sur le manque de sonorité de la langue allemande, impropre suivant moi, à la poésie harmonieuse, il me répliqua: Tu te trompes. Ecoute ceci... Et il récita une dizaine de vers de Goethe qu'on lui avait lus la veille. Or, il n'en comprenait pas un mot [6].

Il se dégage de cette confidence une certitude, — confirmée d'ailleurs par d'autres amis du poète —, que Nelligan aimait la musique autant que la poésie. Cette prédisposition se révèle heureuse pour sa technique: le poète découvre tout naturellement le lien secret qui unit le son et le mot, le motif musical et l'harmonie des rythmes. Chaque fois qu'un poème français ou anglais touchait sa corde sensible, il l'apprenait par cœur presque aussitôt. (Les trois carnets intimes qui datent des années

5. Edgar Allan Poe, *Oeuvres en prose*, traduites par Charles Baudelaire, Paris, Bibliothèque de la Pléiade, 1951, *La Genèse d'un Poème*, p. 1000, 1002.
6. Joseph-Marie Melançon, *Emile Nelligan*, dans *La Patrie* du dimanche, 10 juillet 1949, p. 93.

1930, donc de la triste époque passée à l'hôpital, corroborent cette assertion).

Le don musical du jeune poète s'est éveillé au printemps de 1896, alors qu'Ignace Paderewski est venu pour la deuxième fois à Montréal [7]. Nelligan assista au concert du 6 avril; au programme figuraient des œuvres de Chopin, de Beethoven, de Liszt et de Rubinstein. Ce fut pour lui une révélation aussi grande et aussi profonde que la première lecture des *Romances sans paroles*. Cette musique deviendra thème poétique, aussi bien que mélodie en vers; elle s'unira à la puissance évocatrice de la parole. La poésie ne provient-elle pas, en premier lieu, du dépassement du langage ordinaire pour devenir la musique de l'âme ?

L'engouement pour la musique continue au contact de Verlaine. Depuis janvier 1892, ce poète français surgit dans les pages de l'*Echo des Jeunes* qui publie successivement *Il Bacio*, *Intérieur* et *Tête de Faune*. *Le Samedi*, à son tour, imprime *Clair de Lune*, le 27 avril 1895. Aussitôt, Nelligan court chez son ami Edouard-Zotique Massicotte, le premier parmi les Canadiens français à avoir découvert le « pauvre Lélian », et lui emprunte les *Poèmes saturniens*. Dans le déroulement poétique de ce recueil, parmi des tableaux d'expression parnassienne, Nelligan a vite aperçu le vrai Verlaine, celui des *Paysages tristes* et des *Eaux-fortes*. Le pouvoir musical du poème lamartinien s'enrichit ici du jeu subtil des rythmes impairs et d'une douce mélancolie qui donne à l'état d'âme sa couleur lunaire. A travers une langue à la fois simple et nuancée se meurt un cœur inquiet qui surgit et se démène, qui s'attarde au contour d'une image auditive et qui, dans une série d'assonances, se répercute en échos assour-

---

7. Les impressions de Nelligan, mêlées aux réminiscences de quelques poèmes de Maurice Rollinat, se reflètent plus particulièrement dans le sonnet *Pour Ignace Paderewski*. Avant d'apprécier le jeu du pianiste polonais, Nelligan connut et goûta la musique d'Antoine Gregorovitch Rubinstein, surtout sa « Melody in F » qui lui sert de motif pour le poème *Mélodie de Rubinstein*, publié dans *Le Samedi* du 29 août 1896.

dis. Nelligan surprend ainsi une poésie rêvée qui se refuse à la grandiloquence. « La poésie est une âme inaugurant une forme », dira plus tard Pierre Jean Jouve. Cette forme nouvelle, révélée à Nelligan, repose essentiellement sur la suggestivité du mot musical.

Déjà préparé par des lectures romantiques, le jeune Nelligan épouse sans réserve l'image et le rythme verlainiens. Il essayera à sa façon d'inventer le poème musical. Il constate que la poésie verlainienne est soit une ariette qui vit d'échos et d'assonances, soit une arabesque suggestive qui se dessine au rythme d'une émotion profonde. Ainsi sont nés les premiers poèmes de Nelligan: *Rêve fantasque* sorti en quelque sorte de la *Nuit de Walpurgis classique*, *Nuit d'été*, associé à la *Chanson d'automne* et à l'*Initium*, *Silvio Corelli pleure*, qui imite timidement la complainte *Gaspard Hauser chante* [8]. Tentatives louables, car le jeune poète, dans la voie des influences subies, progresse rapidement vers la libération de son don poétique. Il construit déjà, dans le sillage des grands symbolistes, son univers imaginaire, petite cosmogonie de rêves et de rythmes dont l'élan deviendra bientôt l'esquisse fulgurante de son expérience tragique.

Dans cette recherche ardue des modèles, hasardeuse sans doute mais hautement intuitive, Nelligan a aussi connu, dans la première moitié de l'année 1896, la poésie de Baudelaire, de Mallarmé et de Rimbaud, après quelques engouements fugitifs pour Pierre Dupont, Louis Veuillot et Auguste Barbier. Il a réussi ainsi des avancées rapides, des trouées inattendues dans un monde poétique alors neuf et fascinant, pour retrouver plus tard son poète de prédilection: Georges Rodenbach. Par-delà une sensibilité dont il reconnaît déjà la puissance, le jeune poète devine, dans des moments de forte adhésion à la poésie qui lui

8. Les premiers poèmes de Nelligan ont été publiés dans *Le Samedi* sous le pseudonyme d'Emile Kovar: *Rêve fantasque*, le 13 juin 1896; *Silvio Corelli pleure*, le 11 juillet 1896; *La Chanson de l'ouvrière*, le 1er août 1896; *Nocturne*, le 15 août 1896.

19

Emile Nelligan, le jour de sa première Communion (Collection Nelligan-Corbeil).

plaît, que la musicale cohérence du poème est le produit d'un art personnel, inventif. La parole poétique est une chose possédée; le thème, la quintessence d'une âme en mouvement; l'image, la présence authentique qui invite à refaire la trajectoire des pensées à travers un ensemble de mots et de rêves. Le moi et le langage poétique s'unissent encore mieux par la voie des correspondances. Quoi de plus bénéfique alors pour un rêve en expansion que ces chemins tracés d'un poème baudelairien où la violence de l'âme et du regard éclate dans un mélange de sons, de parfums et de couleurs ? Après Verlaine, Baudelaire fut pour Nelligan la deuxième grande découverte, à la fois profonde et libératrice.

L'été de 1896 est justement pour Nelligan le moment de grandes découvertes et d'importantes décisions. Il a déjà franchi l'étape du romantisme douceâtre si commun chez les poètes débutants. Ses premières poésies viennent de voir le jour dans *Le Samedi* où un concours littéraire attirait depuis un an les jeunes littérateurs. A Cacouna même il se plaît à parler poésie avec son ami Denys Lanctôt, jeune poète comme lui, auquel il dédie *La Chanson de l'ouvrière* et *Nocturne*. De cinq ans plus âgé que Nelligan, Denys Lanctôt se prépare à partir pour la Belgique où il devra entrer au noviciat des Pères Rédemptoristes de Saint-Trond. Il aime la poésie bien « équilibrée », réaliste, et c'est grâce à lui que Nelligan s'éprend passagèrement des *Chants et Chansons* de Pierre Dupont. Mais cette formule facile ne pourrait le satisfaire, comme insatisfaisante pour son esprit est « l'heure solennelle et calme du silence » [9]. Il semble qu'à partir du mois d'août 1896, c'est Baudelaire qui inspire à Nelligan des visions d'exil. De plus, l'auteur des *Fleurs du Mal* lui enseigne que les artistes sont des « phares » qui illuminent le temps et la misère. Pour échapper au spleen l'art est l'unique remède:

> Les Classiques sont morts; le voici le réveil;
> Grand Régénérateur, sous ta pure et vaste aile
> Toute une ère est groupée. En ton vers de vermeil

9. *Nocturne*, poème dédié à Denys Lanctôt, publié dans *Le Samedi* du 15 août 1896.

> Nous buvons ce poison doux qui nous ensorcelle.
> Verlaine, Mallarmé sur ta trace ont suivi [10].

Cette confidence est sans équivoque. Baudelaire est pour Nelligan le maître de l'image admirable, « parnassien enchanteur du pays du soleil », poète de l'idéal et du spleen, magicien du vers bien frappé. Nelligan est parvenu ainsi à saisir l'évolution de la poésie de la seconde moitié du XIXe siècle. Son mérite est d'autant plus réel que l'époque qu'on déclare aujourd'hui la sienne fut de son vivant l'époque de Fréchette et de Chapman: comme toujours au dix-neuvième siècle, le Québec littéraire fut un quart de siècle en retard sur la France. Nelligan se trouve seul au carrefour des courants poétiques et des styles. Il brûle littéralement les étapes: Millevoye, Lamartine, Verlaine, Baudelaire, Rodenbach et même Mallarmé et Rimbaud lui sont familiers. Cette attitude dynamique devant la poésie en évolution témoigne, chez le Nelligan de dix-sept ans, d'un don poétique authentique et d'une intuition sans pareille.

Rentré à Montréal, Emile Nelligan reprend à contrecœur, en septembre 1896, ses études au Collège Sainte-Marie pour les abandonner quelques mois après. Le feu unique qui consume sa pensée est celui de la poésie. Son expérience se veut fulgurante, son rêve imagine un espace sans limites. Au prix de toute sa vie, Nelligan veut créer son propre monde poétique: une assomption violente, poussée jusqu'à la névrose poétique, à contre-courant des conseils de ses parents et de ses maîtres d'école. Le jeune artiste va vers cet exil au terme duquel la poésie se confondra avec la nuit fantasque. Comme Rollinat, Rimbaud et Poe, ses maîtres nouveaux pour qui il ne cache aucunement son attachement, il se fera « voyant », créateur d'une poésie où le blanc et le noir s'éclaboussent du rouge criard, lambeaux des jours et des nuits, trempés de sang fumant.

Mais au milieu de toutes ces réminiscences livresques, multiples et diverses, Nelligan substitue au réel le contour de son rêve: la poésie est pour lui un acte créateur aux

---

10. *Charles Baudelaire*. p. 213.

confins de la logique traditionnelle, alors que le regard circulaire et le cri déchirant captent en images les poussées désordonnées de sa riche sensibilité. Le rêve est à la pointe de ses méditations. Instauratrice des formes poétiques, la pensée tend à élargir son univers imaginaire, inhérent au moi profond.

> Ma pensée est couleur de lumières lointaines,
> Du fond de quelque crypte aux vagues profondeurs.
> Elle a l'éclat parfois des subtiles verdeurs
> D'un golfe où le soleil abaisse ses antennes [11].

C'est bien cette force de perception qui se fera dominante dans l'esprit du poète. La pensée équivaut ici au rêve; avec une égale aisance elle explore le lointain et la profondeur. La lumière et l'eau, le soleil et la crypte ne font que suggérer l'étendue de l'univers qu'elle parcourt: mesurant du regard la distance cosmique, le poète clame sa foi dans la puissance visionnaire. Il entrevoit le monde des songes dans un miroitement lunaire. Bien plus que le soleil, la lune illumine sa rêverie. « J'avais de grands yeux purs comme le clair des lunes », confesse le poète dans *Premier remords*, sonnet qui est en quelque sorte son poème autobiographique.

Fruit de trois ans d'efforts, du printemps de 1896 à l'automne de 1899, l'œuvre de Nelligan n'a pas connu d'évolution ni de mûrissement. C'est une poésie spontanée et frénétique. Avant même d'avoir franchi le cap des vingt ans, l'artiste aura accompli son destin dans une solitude dont il est le créateur, le héros et la victime. Dans quelque cent soixante poèmes, sa vie se réfléchit, marquée d'une inexprimable tristesse.

Bien que l'œuvre de Nelligan traduise d'abord une expérience intérieure, on découvre néanmoins en elle certaines réactions à l'égard du milieu dans lequel le poète avait vécu. La poésie lui demande une adhésion totale; le conflit entre l'artiste et la société semble alors inévitable. Au sein de sa famille, le jeune artiste rêveur n'a pas pu échapper à plusieurs querelles avec son père,

---

11. *Clair de lune intellectuel*, p. 41.

homme pratique et prompt à la réprimande. Tandis que la mère du poète surgit dans bien des poèmes avec sa bonté et sa douceur coutumières, son père est la source d'un seul poème: *Le Voyageur*. A lire attentivement ce texte, on constate que la fin du poème,

> Fantôme, il disparut dans la nuit, emporté
> Par le souffle mortel des brises hivernales [12],

traduit, sans nul doute, un désir secret. A vrai dire, le voyageur (le père) est absent dans le paysage qu'offre le sonnet. Et cette absence doit irrévocablement aboutir à la mort. Les témoignages oraux de Louvigny de Montigny et d'Albert Laberge, amis de Nelligan que nous avons maintes fois consultés, s'accordent à dire que les relations entre le poète et son père furent souvent tendues. Toujours selon les mêmes témoins, Emile chercha refuge chez ses amis, le plus souvent dans la mansarde d'Arthur de Bussières, poète-bohème comme lui.

C'est d'ailleurs Arthur de Bussières qui a introduit Nelligan à l'Ecole littéraire de Montréal [13], en février 1897. Cette « Ecole » ne fut alors qu'une société de jeunes écrivains, poètes pour la plupart, qui désirèrent ardemment le renouvellement de l'art. Mais leur activité n'eut rien d'un effort concerté. Leurs réunions hebdomadaires, si l'on accorde foi aux procès-verbaux, furent des rencontres souvent improvisées, simples échanges d'idées sur des questions littéraires ou sur des textes soumis à la discussion. Nelligan va à ces réunions selon ses caprices, irrégulièrement, bien plus fidèle à son propre rêve qu'aux conseils de ses collègues. A vrai dire, il est l'enfant terrible du groupe. Sa poésie diffère de la poésie descrip-

---

12. *Le Voyageur*, p. 218.
13. L'Ecole littéraire de Montréal fut officiellement fondée le 7 novembre 1895 par Louvigny de Montigny et Jean Charbonneau. Les activités littéraires, — réunions hebdomadaires, séances publiques, publications —, se prolongent avec une fortune inégale jusqu'en 1935. Pour plus de détails, voir notre étude dans *L'Ecole littéraire de Montréal*, Montréal, Fides, 1963, p. 383. Au sujet des origines de ce mouvement littéraire, voir notre article, *Les origines de l'Ecole littéraire de Montréal*, dans *Thought*, Toronto, W. J. Gage, 1960, p. 211-225.

tive d'un Germain Beaulieu, de la poésie sentimentale d'un Albert Ferland ou de celle de Jean Charbonneau qui penche très tôt vers la poésie philosophique. Au milieu de ses amis, Nelligan se croit seul, prisonnier de son songe bizarre et obsédant. Sa poésie se veut unique. On pourrait lui appliquer la phrase de Thierry Maulnier qui, dans *Introduction à la poésie française*, a ainsi défini l'œuvre de Mallarmé: « elle dépasse de loin l'œuvre (des autres) par l'immensité des problèmes auxquels elle a été affrontée, par l'audace de ses explorations hors de l'univers poétique fréquenté, par les voies qu'elle illumine d'un bref éclair et laisse ouverte derrière elle ».

Il faut reconnaître, par ailleurs, que l'Ecole littéraire de Montréal a créé une ambiance propice au renouveau littéraire. Sans renoncer au romantisme, elle ouvre largement les portes à la poésie parnassienne et symboliste. L'âge d'or du cénacle fut marqué par la tenue de quatre séances publiques, organisées avec succès dans l'espace de cinq mois [14], et suivies de la publication d'un recueil collectif [15]. Après une absence prolongée, Nelligan revient à l'Ecole: il participe aux quatre séances publiques et y récite treize de ses poèmes. Il se distingue même devant l'auditoire car il sait jouer de sa voix, mettant en relief le sens des poèmes qu'il récite.

Il se produisit, cependant, un incident qui allait se révéler fâcheux pour la sensibilité de Nelligan. E. de Marchy, un critique français de passage à Montréal, publie un compte rendu de la deuxième séance publique de l'Ecole: tandis que tous les jeunes artistes montréalais se voient accorder des louanges, Nelligan doit se contenter d'une critique acerbe sinon malveillante [16]. Blessé dans

---

14. La première séance publique eut lieu le 29 décembre 1898, au Château de Ramezay, la deuxième au Monument National, le 24 février 1899. Les deux dernières se tinrent le 7 avril et le 26 mai de la même année, au Château de Ramezay.
15. L'Ecole littéraire de Montréal, *Les Soirées du Château de Ramezay*, Montréal, E. Sénécal et Cie, 1900, XV-402 p.
16. De Marchy, *L'Ecole littéraire de Montréal*, dans *Le Monde illustré*, 15e année, no 755, 11 mars 1899, p. 706-707.

son orgueil, déjà fortement rongé par la névrose, le jeune poète se replie encore davantage sur lui-même. C'est dans sa propre solitude qu'il va vivre le sort du poète incompris.

Profondément affligé, Nelligan décide de répondre à de Marchy. Cette réponse sera aussi la réplique que le poète incompris adresse à la société qui méprise la poésie. Ainsi est née la *Romance du Vin*, l'un des meilleurs poèmes de Nelligan:

> Tout se mêle en un vif éclat de gaieté verte.
> O le beau soir de mai! Tous les oiseaux en chœur,
> Ainsi que les espoirs naguères à mon cœur,
> Modulent leur prélude à ma croisée ouverte.
> ....
>
> C'est le règne du rire amer et de la rage
> De se savoir poète et l'objet du mépris,
> De se savoir un cœur et de n'être compris
> Que par le clair de lune et les grands soirs d'orage!
> ....
>
> Femmes! je bois à vous qui riez du chemin
> Où l'Idéal m'appelle en ouvrant ses bras roses;
> Je bois à vous surtout, hommes aux fronts moroses
> Qui dédaignez ma vie et repoussez ma main!
> ....
>
> Les cloches ont chanté; le vent du soir odore...
> Et pendant que le vin ruisselle à joyeux flots,
> Je suis si gai, si gai, dans mon rire sonore,
> Oh! si gai, que j'ai peur d'éclater en sanglots [17].
> ....

Ces strophes révèlent d'abord un état d'âme qui ressemble à celui de Chatterton. La gaîté n'est qu'un mirage. Sur le fond d'un paysage printanier la détresse du poète tranche violemment. C'est « le règne du rire amer et de la rage », c'est le fou rire d'un désespéré. Et pour dire son chagrin, le poète emploie diverses techniques: jeu de correspondances baudelairiennes, musicalité de rappels verlainiens,

---

17. *La Romance du Vin*, p. 198-199.

apostrophe directement adressée à la société, révélation du drame au moyen d'une antithèse placée juste au terme du poème. Ainsi, « la croisée ouverte » sur le monde enchanteur de mai devient en même temps une croisée ouverte sur l'âme en délire. Cette double perspective est admirablement maintenue tout au long du poème.

Ce poème parfait est aussi le chant du cygne du poète, disait Louis Dantin. Pour plus d'une raison, c'est aussi son credo poétique. Et ce credo poétique est sorti de cette « étincelle séminale, pour citer le Claudel de la *Lecture de l'Odyssée,* de cet instant sacré où la piqûre essentielle vient soudain introduire, au travers d'un monde en nous suspendu de souvenirs, d'intentions et de pensées, la sollicitation d'une forme ».

Située dans la biographie intérieure du poète, *La Romance du Vin* marque le terme d'une illumination, où l'inspiration et le labeur créateur s'effacent au profit d'une hallucinante prise de conscience. Aussi les dernières pièces de Nelligan respirent-elles le vertige: surgissement de la flamme noire dans un paysage intérieur, drapé de solitude, dévoré lentement par la nuit.

Lire dans l'ordre chronologique les poèmes de Nelligan équivaut à une descente vers les ténèbres: l'aurore surgit à travers les souvenirs, le jour s'estompe rapidement, le couchant brûle comme le feu. L'illumination de cette poésie invite presque toujours aux sondages de la nuit. C'est qu'à l'inverse de tant d'autres artistes, le jeune poète portait la nuit dans son âme. L'espace ordinaire a subi des transformations au profit du subjectif. La géographie s'est confondue entièrement avec l'univers intérieur. A vrai dire, le monde extérieur, — paysage, temps spatial, société —, n'est pour Nelligan que le point de départ, une réalité d'appui qui se perd dans la trame de ses rêveries.

Parmi les amis de Nelligan, — Arthur de Bussières. Charles Gill, Henry Desjardins, Joseph Melançon, Lou-

Membre de L'Ecole littéraire 1899-1900: 1. Louis Fréchette, président d'honneur; 2. Wilfrid Larose, président; 3. Edmond-Zotique Massicotte, vice-président; 4. Germain Beaulieu, trésorier; 5. G.-A. Dumont, secrétaire; 6. Charles Gill; 7. Jean Charbonneau; 8. Emile Nelligan; 9. Hector Demers; 10. Henry Desjardins; 11. Gonzalve Désaulniers; 12. Pierre Bédard; 13. Arthur de Bussières; 14. Albert Pelletier; 15. Albert Ferland; 16. A.-H. de Trémaudan.

vigny de Montigny, Françoise, Madeleine [18] —, celui qui a le mieux contribué à l'épanouissement de son don poétique fut Eugène Seers, mieux connu sous le pseudonyme de Louis Dantin [19]. Celui-ci a vécu un drame intérieur à la fois religieux et sensuel, durant ses séjours en France et en Belgique. Revenu au Canada en 1895, il séjourna sept ans au sein de la Congrégation des Pères du Très-Saint-Sacrement dont il faisait partie depuis 1888. Il a rencontré Nelligan pour la première fois le 4 avril 1896, lors du bazar, organisé sous la présidence de Madame Pagnuelo, au profit de la chapelle du Très-Saint-Sacrement qu'on venait alors d'ériger, avenue Mont-Royal. Nelligan y récitait des poésies en compagnie de Merroy Prendergast et d'Achille Masse. Une profonde amitié allait se nouer entre Nelligan et Dantin. Celui-ci aimait Nelligan comme s'il avait été son frère cadet. Aux prises avec sa propre inquiétude, il suivait avec anxiété celle de son ami, en lui prodiguant des conseils. En 1902, c'est Dantin qui sauvera de l'oubli l'œuvre de son jeune ami, prématurément sombré dans « les abîmes du rêve [20] ».

18. Au sujet des amis de Nelligan, les études suivantes peuvent apporter les renseignements nécessaires: Frère Léon Victor, i.c., *Arthur de Buissières, sa vie et son œuvre*, thèse de doctorat présentée à l'Université d'Ottawa, 1958, IX-344p.; Odette Condemine, *Arthur de Bussières, cet inconnu*, dans *L'Ecole littéraire de Montréal*, Montréal, Fides, 1963, p. 110-130; Paul Wyczynski, *Arthur de Bussières* (1877-1913), dans *Lectures*, nouvelle série, vol. 9, no du 1er sept. 1962, p. 3-6. Réginald Hamel, *Le Saint-Laurent de Charles Gill*, thèse de maîtrise, Université d'Ottawa, 1961, IX-194 p., Paul Wyczynski, *Charles Gill intime*, dans *Revue de l'Université d'Ottawa*, vol. 29, no 4, oct.-déc. 1959, p. 447-472; Id., *Charles Gill*, dans *Lectures*, nouvelle série, vol. 7, no 6, fév. 1961, p. 163-165. Sœur Saint-Bernard-de-Clairvaux, s.g.c., *Henry Desjardins, sa vie et son œuvre*, thèse de maîtrise, Université d'Ottawa, 1962, IX-211p. René des Ormes (Mme Louis Turgeon), *Robertine Barry, en littérature: Françoise*, Québec, *L'Action sociale*, 1949, 159 p.

19. Au sujet de Louis Dantin voir: Gabriel Nadeau, *Louis Dantin, sa vie et son œuvre*, Manchester, Lafayette, 1948, 253 p. Aussi: Yves Garon, *Louis Dantin, sa vie et son œuvre*, thèse de doctorat ès Lettres, Université Laval, 1960, XIII-641 p.

20. Louis Dantin, *Emile Nelligan*, dans *Les Débats*, 3e année, nos 143-149, livraisons hebdomadaires entre le 17 août et le 28 septembre 1902.

Dantin connut fort bien la poésie de son époque. Il constata vite que les parnassiens et les symbolistes français s'imposaient à l'esprit de Nelligan. Son vif engouement le menait dans bien des cas, à s'identifier à eux. Une telle démarche se révéla dangereuse lorsque le jeune poète se mit à fréquenter Rollinat et Poe: en peu de temps leur cauchemar est devenu le sien. Alors son crayon ne pouvait que tracer sur le papier les contours de ses visions fantasmagoriques. Suivant Rollinat, Nelligan écrit:

> J'ai cru voir sur mon cœur un essaim de corbeaux
>
> ....
>
> Déchirant à larges coups de bec, sans quartier,
> Mon âme, une charogne éparse au champ des jours
> Que ces vieux corbeaux dévoreront en entier [21].

D'autres vers sont bizarrement colorés de visions de Poe:

> Il s'est assis aux soirs d'hiver
> En mon fauteuil de velours vert
>   Près de l'âtre
> Fumant dans ma pipe de plâtre,
> Il s'est assis un spectre grand
> Sous le lustre de fer mourant
> Derrière mon funèbre écran [22].

Baudelaire rêvait un jour d'une écriture si authentique que « le papier se viderait et flamberait à chaque touche de la plume de feu ». Quoi de mieux à évoquer que cette hantise de l'auteur des *Fleurs du mal* pour apprécier l'effet des derniers poèmes de Nelligan ? C'est un langage dans un langage, comme le dira plus tard Valéry, un langage qui communique les vérités d'un être névrosé. L'image colle à l'âme comme le plâtre aux modèles librement façonnés. L'idée se perd dans ces hallucinations pour laisser la place au cauchemar. C'est la quête désespérée d'une présence réelle dans un monde irréel: le langage poétique en hérite le frisson.

A une égale distance des modèles livresques et du désordre mental les paroles nelliganiennes deviennent cris. Des exclamations plaintives alternent avec les métaphores

---

21 *Les Corbeaux*, p. 120.
22. *Le Spectre*, p. 273.

riches en synesthésies. L'atmosphère du noir se prête à merveille à l'évocation de la mort: la nuit chante dans les stances la fin d'une vie qui se voulait d'abord heureuse. Passer d'un poème de Nelligan à l'autre, c'est revivre l'expérience de ce rêve noir, fuir le monde de l'intelligence:

> Je plaque lentement les doigts de mes névroses,
> Chargés des anneaux noirs de mes dégoûts mondains
> Sur le sombre clavier de la vie et des choses [23].

Une grande inquiétude transparaît dans cette ébauche poétique de trois vers. Une couleur noire se confond avec des voix de délire. Epanchée dans la vie irréelle, la vision du dernier Nelligan désorganise sa représentation du monde d'autrefois. Le sentiment se fait plus dense dans la démarche haletante de sombres métaphores. Pour explorer les ténèbres, le poète se réclame des grands visionnaires. Son regard flamboyant a en effet quelque chose de la « voyance » rimbaldienne que le poète français a voulu suivre jusqu'à l'illumination finale d'après ce principe audacieux: « Je veux être poète, et je travaille à me rendre *voyant* [...] Les souffrances sont énormes, mais il faut être fort, être né poète [...] Je est un autre [24] ». En tout cas, les derniers poèmes de Nelligan tendent vers leur extrême libération; le poète ne chante pas, ne décrit plus: il fixe des vertiges.

Pour Rimbaud aussi bien que pour Nelligan, écrire un vrai poème signifie inventer un langage poétique pour traduire une durée d'intimes révélations. Même quand l'âme succombe sous le poids des souffrances, le poème en tire un prestige envoûtant. Les mots et les images prennent possession des mondes lorsque Rimbaud fait naviguer son *Bateau ivre* sur une mer sans limites. Nelligan vit une aventure semblable lorsqu'il conçoit son *Vaisseau d'Or* qui est à la fois souvenir, pressentiment et identification pathétique:

---

23. *Je plaque*, p. 229.
24. Arthur Rimbaud, *Lettre à Georges Izambard* du 13 mai 1871.

Ce fut un grand Vaisseau taillé dans l'or massif:
Ses mâts touchaient l'azur, sur des mers inconnues;
La Cyprine d'amour, cheveux épars, chairs nues,
S'étalait à la proue, au soleil excessif.

Mais il vint une nuit frapper le grand écueil
Dans l'Océan trompeur où chantait la Sirène,
Et le naufrage horrible inclina sa carène,
Aux profondeurs de Gouffre, immuable cercueil.

Ce fut un Vaisseau d'Or, dont les flancs diaphanes
Révélaient des trésors que les marins profanes,
Dégoût, Haine et Névrose, entre eux ont disputés.

Que reste-t-il de lui dans la tempête brève?
Qu'est devenu mon cœur, navire déserté?
Hélas! Il a sombré dans l'abîme du Rêve [25].

Puissamment imaginaire, cette image du vaisseau est sortie des clavecins muets, des chapelles abandonnées, des rêves spectraux tissés autour d'une femme inconnue et d'un cercueil. D'abord somptueux dans son déploiement allégorique, le vaisseau épouse rapidement la résonance tragique d'une destinée. Il faut remarquer que tous les attributs qui siéent poétiquement au *Vaisseau d'Or,* sont en réalité les attributs que le poète se donne lui-même. Ainsi, l'allégorie s'estompe et le symbole s'organise. Songe admirablement fixé entre l'azur et le gouffre, il touche à l'inconnu par deux extrémités: horizon et abîme. La mer n'est alors qu'un lieu d'éclatement où l'idée de la vie se mesure avec l'idée de la mort. Le vaisseau, ne dérobe-t-il pas sa raison d'être au rêve, pour devenir l'emblème d'une connaissance intuitive au-delà des notions traditionnelles du présent et du futur ?

Le *Vaisseau d'Or* fait valoir en définitive le motif de l'abîme, donc de la mort. Le monde poétique que Nelligan a érigé grâce au rêve s'ouvre ainsi sur la profondeur, sur ce que Rodenbach appelle le règne du Silence. De son côté, le poète Cyprian Norwid, à la fois romantique et symboliste, écrivit vers 1850 ce quatrain suggestif:

Il y a un Silence de jour et un Silence de nuit,
Un Silence dans l'espace et un Silence infini,

---

25. *Le Vaisseau d'Or*, p. 41.

Dire ce qu'est le second dépasse mon sort,
Ce que je n'en dirai pas — vous le dira la mort [26].

Le Silence dont parle Norwid n'équivaut aucunement à l'absence: c'est la présence hors du temps, doublée d'infinis secrets; « l'abîme du rêve » nelliganien garde aussi son secret, immense comme la vie, mystérieux comme la mort.

A partir de l'été de 1899, Nelligan se sent menacé par la folie. Les crises se succèdent à un rythme précipité. Le poète est conduit, le 9 août 1899, à la Retraite Saint-Benoît. Son cas est qualifié de démence précoce. En 1925, après la mort de sa sœur Gertrude, il sera transféré à Saint-Jean-de-Dieu où il restera jusqu'à la fin de ses jours, c'est-à-dire jusqu'au 18 novembre 1941. Il sera inhumé au cimetière de la Côte-des-Neiges, le 21 novembre, la veille de la fête de sainte Cécile, la sainte adorée au vitrail dont le nom fut pour lui le synonyme de l'idéal féminin, de la musique supraterrestre et de l'Art suprême.

Les quarante-deux ans passés à l'hôpital constituent le long épilogue d'une effervescence artistique qui ne dura que trois ans. Nelligan fut un malade tranquille, comme enveloppé dans son rêve d'autrefois. On lui a interdit la lecture et il n'a pu que rarement feuilleter son recueil, publié quatre ans après son internement. Soustrait à l'intelligence consciente, le rêve du poète continuait néanmoins son errance. Les confidences que l'artiste malade avait faites à plusieurs personnes prouvent qu'il a toujours vécu pour son idéal poétique, sans espoir de guérir, et sans en être conscient. La pensée qu'il avait autrefois voulue « couleur de lunes d'or lointaines », est devenue plus vaporeuse et plus incohérente. Parmi tant de souvenirs qui évoquent le portrait de Nelligan malade, celui de Rosaire Dion-Lévesque se situe parmi les plus sympathiques:

---

26. Cyprian Norwid (1821-1883), ami de Chopin, poète polonais d'expression romantique et symboliste, auteur de plusieurs recueils lyriques, de légendes et de drames. La traduction française du quatrain cité est la nôtre.

Et je revois toujours le dos courbé de cet homme dont la stature diminuait à mesure qu'il s'acheminait dans le long corridor et jetait de temps en temps un regard en arrière. Avant de disparaître complètement à l'angle du couloir sombre, il esquissa un vague signe d'adieu de la main droite [27].

L'esprit de Nelligan malade ne fut pas entièrement coupé du passé: il y tenait, et même assez fort, par les fils de souvenirs artistiques. Nelligan savait tous ses poèmes par cœur ainsi qu'un nombre considérable de poèmes français et anglais. Son plus grand divertissement consistait à organiser des soirées musicales et littéraires, écho lointain des séances de l'Ecole littéraire de Montréal. C'est lui qui en assumait la direction, tour à tour conférencier et diseur. Quand il récitait ses pièces ou celles de Musset, de Lamartine, de Verlaine, de Baudelaire, de Pope ou de Thomas Moore, il se faisait accompagner au violon par un camarade de l'hospice, car, disait-il, la poésie ne se communique pas sans musique.

Aussi avait-il griffonné des vers, sans suite, revenant aux motifs de ses poèmes antérieurs. Il serait exagéré de prétendre, que dans ces notes incohérentes et ces ébauches de poèmes conçues à l'hôpital, pût surgir une poésie vraiment neuve. De temps en temps, cependant, on peut reconnaître, dans la masse des mots, quelques vers bien scandés, pour la plupart isolés, éclair du génie momentanément retrouvé et aussitôt disparu. Dans les trois carnets de notes, que Nelligan avait en sa possession entre 1920 et 1930, à part quelques passages transcrits des revues et des journaux, quelques souvenirs personnels, de nombreux poèmes français et anglais, ici et là une ébauche annonce un poème nouveau. A titre d'exemple voici *Douceur du Soir*:

> Douceur du soir, douceur de la chambre sans lampe
> Le crépuscule est doux comme une bonne mort

27. Rosaire Dion-Lévesque, *Une première visite à Emile Nelligan*, dans *Le Phare*, magazine franco-américain, no de juillet-août 1951, p. 23-24. L'auteur de cet article a rendu visite à Nelligan le 20 août 1927.

> Et l'ombre lentement qui s'insinue et rampe
> Se déroule, enfermée au plafond. Tout s'endort.
> Comme une bonne mort sourit le crépuscule [28].

Le quintil est tissé de modulations verlainiennes et de vagues réminiscences de l'*Harmonie du Soir*. Ces rappels poétiques n'empêchent pas pourtant la sensibilité de se faire jour dans une atmosphère qui est crépuscule, absence, ombre, mort. Ce n'est pas le paysage gris qui étonne, mais le relief musical que l'âme y imprime par sa douce résignation.

Les meilleurs passages des *Carnets* de Nelligan renvoient à sa mélodieuse rêverie d'autrefois. C'est que la poésie de Nelligan, — comme sa vie d'ailleurs —, est fondamentalement un songe qui s'achève dans une écriture inventée. La conscience se cherche à travers le mot suggestif. Au niveau du langage, elle unit simultanément les distances, les voix et les significations. La poésie ainsi devient élan dans le monde de la parole, élargissement de l'horizon sémantique, vie transmise dans les rythmes des vers et des images dans lesquels se perpétue le pathétique nocturne d'un rêve abandonné.

---

28. Emile Nelligan, *Carnet III, Douceur du Soir*, p. 16.

II. CHEMINEMENTS DU RÊVE

Au centre de la poésie de Nelligan gravite le rêve, émanation de sa conscience profonde. Dans l'ensemble des structures psychiques, celle-ci se distingue par son caractère fondamentalement perceptif et réflexif. Mais elle agit aussi en tant que miroir transformant. Qu'est-ce à dire ? Par rapport à l'objet, la perception est la projection d'un fragment du monde extérieur dans notre savoir cognitif: le profil sensible y subit une conceptualisation rapide. L'image qui en résulte se berce aussitôt dans l'imagination qui, chez le poète, est plus puissante que chez un homme ordinaire. Ainsi, la réalité enregistrée se module en variations multiples dans l'imaginaire. Le poète porte en soi ces sensations rêvées, ces images synthétiques, ce devenir musical qui réclame au langage le droit d'être exprimé. Le rêve est donc le halo singulier de la perception.

Le rêve désancre les attaches logiques, vit et s'épanouit dans l'intemporel. L'espace onirique englobe la conscience autant que le langage que celle-là appelle. Etudier les différents rameaux du songe dans une œuvre poétique signifie suivre librement le temps d'une conscience, mouvement qui ne compte que par son acuité: temps brisé, temps lyriquement allongé, déchirement du passé, quintessence de l'instant. C'est la simultanéité d'intimes solitudes et des intonations singulières dans le surgissement des paroles poétiques.

A mon ami Albert Lozeau, ce portrait du grand Nelligan.

Tous trois, nous l'avons adoré la Poésie; nous l'avons adorée, puisqu'elle est divine. Est-ce pour cela que nos trois ... se rencontre ici, ou ... est-ce parce que le malheur nous a frappé tous trois

Charles Gi...

Nelligan se complaît dans l'envers de la sensation, dans le temps qu'il transforme à son gré. Le mot « rêve » coiffe plusieurs de ses poèmes: *Rêve d'artiste, Rêve de Watteau, Rêve d'une nuit d'hôpital, Rêves enclos.* Sa première pièce, *Rêve fantasque,* est une réplique juvénile de la *Nuit du Walpurgis classique* où Verlaine a introduit le sabbat du second Faust. Par le fait même, le jeune poète montréalais adhère, dès le début de son expérience, à une poésie qui se nourrit du rêve. Et ce rêve grandira dans l'espace des souvenirs auxquels Rodenbach redonnera l'envoûtante magie des bonheurs éteints. Il s'épanouira sous le signe de l'idéal, dans une élévation sublime et dans une souffrance sans nom. « Boulevardier funèbre échappé des balcons[1] », le poète définit déjà par cette confidence le caractère de sa solitude. De la durée conventionnelle des hommes il va falloir glisser dans la durée des prodiges artistiques:

> Laissez-le vivre ainsi sans lui faire du mal!
> Laissez-le s'en aller; c'est un rêveur qui passe;
> C'est une âme angélique ouverte sur l'espace,
> Qui porte en elle un ciel de printemps auroral.
>
> C'est une poésie aussi triste que pure
> Qui s'élève de lui dans un tourbillon d'or.
> L'étoile la comprend, l'étoile qui s'endort
> Dans la blancheur céleste aux frissons de guipure.
>
> Il ne veut rien savoir; il aime sans amour[2].

Rédigé à l'occasion de la mort de Rodenbach, ce poème traduit en même temps, à l'état voilé, la sensibilité et le mélancolique destin du rêveur. Frissonnant, inondé de blancheur, semé d'étoiles, marqué d'or, un monde s'ouvre alors au rêve verticalement.

« Ame angélique ouverte sur l'espace », le jeune Nelligan comprend intuitivement que son univers poétique ne peut grandir que dans l'épanouissement de la rêverie. Ses premiers vrais maîtres, Verlaine, Baudelaire, Mallarmé, eux aussi, d'après lui, « ont cherché le rêve,[3] » « un grand

---

1. *Soirs d'octobre,* p. 98.
2. *Un poète,* p. 235.
3. *Cœurs blasés,* p. 211.

Emile Nelligan. (Photo dédicacée et offerte à Albert Lozeau par Charles Gill, en 1904.)

rêve [4] ». Il les suivra d'abord au sein du paysage nocturne où « l'opaline nuit marche, et d'alanguissants songes comme elles envahissent l'endroit [5] ». Puis, à travers la nature nostalgique, dans une illumination fantasque, voici qu'il entrevoit un néant énigmatique:

> Avec ces vagues bruits fantasquement charmeurs
> Rentre dans le néant le rêve romanesque [6].

Chimère dans un monde sans contour, la poésie brille par le glissement rapide du rêve dans les mots. Mais le poète aura beau vouloir vivre dans une géographie illimitée, des villes exotiques, des pays sans frontières, des mers sans horizon; il reviendra toujours du perpétuel dehors dans le perpétuel dedans: le flottement du rêve n'élargit que le monde de sa solitude.

Le signe qui identifie l'essor céleste du rêve nelliganien est l'ange ou plutôt les anges, car le pluriel traduit mieux le désir de l'ubiquité. Le titre que Nelligan voulut donner à son recueil n'est autre que *Motifs du Récital des anges*. Les titres de plusieurs poèmes, les images poétiques et le vocabulaire prouvent que Nelligan a d'abord choisi, dans son désir de libération et d'élévation, la direction du ciel: voie de lumière, ultime pureté des êtres, hantise de l'idéal. D'où ces nombreux anges dans les poèmes de Nelligan, saisis dans le prisme de la foi, calqués sur les objets d'art, et surtout associés dans sa pensée à la « couleur de lumières lointaines ».

Timide et jeune, sa première poésie vit donc des « rythmes séraphiques » et situe l'idéal imaginé dans les sphères du sublime. La conjugaison rêvée du terrestre et du céleste se produit tout au long du recueil par la voie de multiples analogies: la mère apparaît « souriante avec l'essaim des anges [7] », l'église drapée de Pâques est remplie « d'archanges, porteurs triomphaux d'encensoirs [8] », dans

---

4. *Mélodie de Rubinstein*, p. 212.
5. *Rêve fantasque*, p. 203.
6. *Ibid.*, p. 204.
7. *Devant mon berceau*, p. 48.
8. *Communion pascale*, p. 223.

le cloître des Carmélites « au séraphique éclat des austères prunelles répondent les flambeaux [9] ». La femme rêvée se distingue par « son pas lacté... (qui) simule un vespéral marcher de chérubins [10] ». Ce monde angélisé, mêlé à la vie terrestre, semble avoir son origine dans des sensations affectives comme celle-ci:

> Des soirs, j'errais en lande hors du hameau natal,
> Perdu parmi l'orgueil serein des grands monts roses,
> Et les Anges, à flots de longs timbres moroses,
> Ebranlaient les bourdons, au vent occidental [11].

Tout se mêle dans cette allégresse vespérale: œil, esprit, âme ainsi que lande, monts et vent. L'angélus transfigure les voix du monde: « quels longs effeuillements d'angélus par les chênes [12] ! », « tous ces oiseaux de bronze envolés des chapelles [13] ! » Anges, voix, sons, objets tangibles et subtiles abstractions se confondent dans une coulée de métaphores mélodieuses, colorées d'émotion.

Il serait cependant faux de s'imaginer que la conscience nelliganienne vivra du bruissement des ailes de chérubins. Si le ciel serein trouve momentanément sa place dans le cœur du poète, il y doit changer et de résonance et de couleur. Nelligan est un artiste inquiet. Souvenir d'enfance, le rêve ensoleillé n'est qu'une évasion passagère. D'abord blanche et dorée, la tristesse devient vite grise et noire. D'où les motifs de deuil en plein ciel azuré: « les noirs Archanges [14] » de la *Mazurka* de Chopin, « les fêtes des anges noirs [15] » et les Anges maudits [16] » des *Soirs hypocondriaques*. Bref, l'ange de Nelligan réapparaît dans sa gloire et dans sa chute.

La verticalité du rêve de Nelligan s'explique par la hantise des hauteurs et du sublime, autant que par l'em-

---

9. *Les Carmélites*, p. 147.
10. *Gretchen la pâle*, p. 87.
11. *Les Angéliques*, p. 59.
12. *Automne*, p. 101.
13. *Les Angéliques*, p. 59.
14. *Mazurka*, p. 95.
15. *Le Corbillard*, p. 121.
16. *Soirs hypocondriaques*, p. 277.

prise des profondeurs et du gouffre. Les retombées sont d'ailleurs normales, étant les signes de la conscience aliénée qui, après avoir goûté à « la chose étoilée [17] », sombre dans « l'abîme du rêve [18] ». Golfe, puits noir, crypte aux vagues profondeurs, subtiles verdeurs de l'océan, autant de correspondants abyssaux de « l'essor aux célestes Athènes [19] ». Le regard qui, en d'autres moments, volait « vers la voûte azurée [20] » se plonge maintenant dans des cavités déjà toutes pénétrées d'angoisse.

A vrai dire, le rêve de Nelligan, sans être essor continuel ni naufrage soudain, est surtout tourbillon, c'est-à-dire un mouvement délirant, tournoiement des sentiments qui jaillissent, se heurtent et se consument. L'emportement vers le haut n'est que passager: bien plus fréquemment, il sera un emportement bloqué. Sa voix subit fatalement l'effet d'un immobilisme intérieur: la conscience l'entrave et la refoule. La profondeur se confond alors avec le vide. Admirable confidence que la double identification dans cette comparaison nominale: « Et nos cœurs sont profonds et vides comme un gouffre [21]. »

Le motif du gouffre amène donc le rêve au vide intérieur, sensation d'étouffement, douloureuse en soi, mais féconde pour la poésie en devenir. Et là, comme noyé dans la conscience déchirée, le lyrisme devient dense. C'est le feu sur les ondes, voix pourprée, colorée de sang:

> Chez moi, douleur n'est fraîche
> Elle est sèche
> De ce feu qui l'embrase en ses rouges fournaises
> Dans les braises.
> Douleur où j'ai tant soif que je boirais les mondes
> Et leurs ondes.
> Douleur où je péris comme un lys sur console
> Sans parole [22].

17. *Mon âme*, p. 42.
18. *Le Vaisseau d'Or*, p. 44.
19. *Clair de lune intellectuel*, p. 41.
20. *Béatrice*, p. 214.
21. *Tristesse blanche*, p. 191.
22. *Qu'elle est triste*, p. 251.

Face à la douleur, le langage du poète demeure brisé, inachevé. Les distiques, dont l'un est élan, l'autre rupture, comme dans la *Musique* de Baudelaire, donnent à l'épanchement lyrique un rythme expressément nerveux. L'accablement de l'être se manifeste fort bien dans ces vers où l'on devine quelque barrage qui empêche la communication totale. Ce sont là les limites et la source de la parole poétique qui se transforme sur le champ en une expressive suggestion.

Le refoulement de la douleur n'empêche pas le poète d'habiter certains endroits imaginaires auxquels il infusera son anxiété. Frustré par la société, irrévocablement marqué par le destin, Nelligan pourrait-il concevoir autrement son contact avec le monde extérieur ? Les objets qu'il inventera, la géographie qu'il contemplera, libéreront momentanément sa sensibilité surexcitée et, en même temps, ils subiront le sort pathétique du poète. Partout dans le monde, Nelligan cherche un abri accueillant et il n'y trouve que sa propre image.

Certes, Nelligan rêvait d'abord des « horizons vastes des cieux marins [23] », des « lunes d'or lointaines [24] », de ce « vaisseau d'or qui glisse avec l'amour en poupe [25] » sur les mers inconnues. Mais, n'est-il pas vrai également que l'horizon nelliganien se réduit rapidement à la fenêtre d'une chambre close, que la lune s'éteint dans les lustres vacillants, que le vaisseau coule comme un « immuable cercueil [26] » au milieu de l'océan trompeur ? L'esprit du poète est hanté par l'imaginaire; en réalité, chaque région aperçue et chaque objet rencontré ne sont rien d'autre « que sa propre fuite en soi, que son horizon éternellement et intérieurement reculé [27] ». Il est évident que l'âme et l'esprit de Nelligan se sentent menacés, que sa solitude supporte mal les espaces ouverts. C'est pour cette raison

---

23. *Le Cloître noir*, p. 138.
24. *Clair de lune intellectuel*, p. 41.
25. *Banquet macabre*, p. 125.
26. *Le Vaisseau d'Or*, p. 44.
27. Jean-Pierre Richard, *Guillevic*, dans *Onze études sur la poésie moderne*. Paris, Éditions du Seuil, 1964, p. 185.

que la chambre et la chapelle traduisent dans son œuvre les inéluctables moments du repliement.

« En la grand'chambre ancienne aux rideaux de guipure [28] » le monde de l'enfance se manifeste par l'obsession d'un sanglot étouffant. Des objets s'y dressent immobiles comme des souvenirs figés: rideaux de guipure, brocart fané, draps funèbres, berceau assimilé au cercueil en bois frêle et blanc, et tout cela enfermé dans « des murs de ténèbres ». Il est intéressant de constater le rôle du temps ravageur dans ce décor pétrifié, inondé de blanc et de noir: temps englouti dans les objets muets, mais aussi temps revécu dans les images, tous ces miroirs froids d'une vie qui s'en va. S'en va où ? C'est le grand point d'interrogation et d'autant plus émouvant que Nelligan ne trouve pas de réponse. Il est impossible d'avancer ! A la limite extérieure de la chambre se dresse un mur ! Le mur protège et sépare. Protège ! — certes, mais en même temps il bloque l'élan de la rêverie, coupe la relation avec le paysage ensoleillé: l'être est ici condamné à vivre des heures d'inexplicable étouffement.

L'idéal serait de transformer pour toujours cette chambre en un abri chaud et accueillant. Nelligan connaît parfois cette bienheureuse passivité et, par moments, il en goûte les accalmies:

> Dans la grand'salle que j'aimais
>
> Où je venais, après l'étude,
> Fumer le soir, rythmant des vers,
> Où l'abri du monde pervers
> Eternisait ma solitude [29].

On entrevoit, au sein de cette confidence, les rapports du souvenir et de la solitude. Mais en même temps, le poète invente les « salons allemands », les « salons hongrois », les vérandas roses et les chambres vénitiennes, pour prêter à son rêve un calme illusoire de couleurs tièdes et de sons languissants. Cette invention n'est, en réalité, qu'un

---

28. *Devant mon berceau*, p. 48.
29. *Le Saxe de famille*, p. 163.

procédé fictif pour éloigner le présent, préparer la fuite. C'est dans une chambre close que Nelligan songe à l'océan trompeur, mirage lointain où devrait s'accomplir son désir de dépassement. A vrai dire, l'attirance des saisons, les miroitements des couleurs, la mélancolie des paysages, tout cela ne peut que contribuer davantage à ce repliement, où l'esprit capte à volonté les pulsations intérieures: d'où l'inflexion pathétique de la poésie.

> Quand, rêvant de la mort et du boudoir absent,
> Je me sens tenaillé des fatigues physiques,
> Assis au fauteuil noir, près de mon chat persan,
> J'aime à m'inoculer de bizarres musiques,
> Sous les lustres dont les étoiles vont versant
> Leur sympathie au deuil des rêves léthargiques.
>
> J'ai toujours adoré, plein de silence, à vivre
> En des appartements solennellement clos,
> Où mon âme sonnant des cloches de sanglots,
> Et plongeant dans l'horreur, se donne toute à suivre,
> Triste comme un son mort, close comme un vieux livre,
> Ces musiques vibrant comme un éveil de flots [30].

Le don de marier le décor noir à l'absence, et la musique à la détresse, permet à l'espace limité de l'intérieur de s'imprégner du moi souffrant. Une épaisseur lyrique couvre l'étendue close; parmi les objets confondus passent « les rêves léthargiques »; étoiles reflétées dans les lustres, fauteuil noir, chat persan, tous ces objets se dissolvent en de « bizarres musiques ». Rien de plus nelliganien que cette adhésion de l'être à l'objet. Le regard intérieur du poète colle tristement à tout ce qu'il rencontre sur son chemin. Le silence acquiert ici son propre langage. Or, par la structure imaginaire, mais bien davantage encore par la volatilisation des objets au profit d'un sentiment en lent anéantissement, la chambre de Nelligan ressemble étrangement à la chambre mallarméenne où vibrent imperceptiblement les appels du Styx lointain.

Un autre abri, associé intimement au sentiment de la solitude, est « la petite chapelle »: le poète lui appartient par son désir de mystique élévation:

---

30. *Musiques funèbres*, p. 171.

> . . . . Je me rappelle!
> Les bois dormaient au clair de lune,
> Dans la nuit tiède où tintait une
> Voix de la petite chapelle...
>
> ....
>
> Nos voix en extase à cette heure
> Montaient en rogations blanches,
> Comme un angélus des dimanches,
> Dans le lointain qui prie et pleure... [31]

Avec une économie d'expression qui nous rappelle les *Romances sans paroles*, Nelligan construit son paysage à partir d'un souvenir retrouvé. Cette fois, l'endroit se révèle doublement ouvert: sur l'extérieur et sur l'âme. Dans un lieu vaguement indiqué se fait l'orchestration des souvenirs: c'est une partie du paysage de son enfance. Le jeu des perspectives, musicalement effectué, permet à la voix de l'âme de reprendre son essor d'autrefois et d'introduire, dans l'enceinte de la chapelle des bois, les modulations d'une bienfaisante accalmie.

Mais tout cela n'est que le prélude d'une symphonie à mille voix tristes. La chapelle nelliganienne surgit et s'estompe. D'abord rayonnante, parfumée et fleurie, elle devient rapidement « la chapelle de la morte », la « chapelle ruinée ». Comme tous les objets, — et c'est l'une des caractéristiques les plus significatives de la poésie de Nelligan —, elle se situe dans le sillage du temps ravageur et affronte ainsi l'éternel problème de l'anéantissement:

> . . . . les genoux figés au vieux portail,
> Je pleure ces débris de petite chapelle...
> Au mur croulant, fleuri d'un reste de vitrail [32] !

« Porté par un parfum que le rêve rappelle », le poète assimile l'endroit à sa propre réalité intérieure. La chapelle traduit donc le flottement de son rêve religieux, extase et doute, grâce et péché, splendeur et ruine. Sincère, Nelligan ne pouvait pas faire autrement. Alors que les « cloches des âges morts sonnent à timbres noirs », il avoue en toute simplicité, mais avec quel regret émouvant: « je sens se briser mon cœur dans ma poitrine ».

---

31. *Chapelle dans les bois*, p. 133-134.
32. *Chapelle ruinée*, p. 145.

Mardi 14 Sept, 1937

Que reste-t-il de lui dans la tempête brève?
Qu'est devenu mon cœur, navire déserté?
Hélas! Il a sombré dans l'abîme du Rêve!...

Emile Nelligan.

Emile Nelligan. (Bas-relief d'Alonzo Cinq-Mars)
*En bas, le dernier tercet du Vaisseau d'Or, transcrit par
le poète le 14 septembre 1937.*

Pareille évocation continue autour des monastères et des cloîtres, perdus dans un *no man's land*, où vivent les moines, « ces silencieux spectres de Jésus-Christ », où tout est scellé et fermé. Dans ces poèmes en apparence descriptifs, — *Le cloître noir, La mort du moine, Moines en défilades, Les Carmélites, La Bénédictine* —, toujours la même solitude. C'est dans une telle perspective que ces lieux se précisent et se déploient en significations profondes. Car c'est dans cet abri, au rebours du paysage exotique, que Nelligan rêve sous l'habit noir du moine exilé.

Parfois, le rêve se définit par une structure de poème. *Lied fantasque* est à ce sujet un exemple excellent. Dans ce sonnet, la poésie n'est rien d'autre qu'un songe discursif, dans lequel on surprend à peine une vague sensation amoureuse. Saisir ce monde équivaut à se laisser emporter loin de lieux communs. Créateur d'images étranges, Nelligan campe dans le noir les hauts toits de l'hivernal Paris, les remplit des spectres de sa vision fantasque et, comme ressaisi d'une réalité qui se dérobe, il tente une nouvelle poussée dans une étendue encore plus large qui aboutit à l'exotisme germanique:

> Gretchen, ne distrais le bizarre
> Rêveur sous l'ivresse qui plie.
>
> Je voudrais cueillir une à une
> Dans tes prunelles clair-de-lune
> Les roses de ta Westphalie [33].

Nous n'accédons à ce monde que par l'acceptation de l'inconnu. Il ne s'agit point d'en saisir le sens, mais tout simplement de consentir à y voir un souvenir lancinant dans son existence visionnaire. La signification réside dans une marge non définie qui dépend exclusivement du pré-texte stylistique. La sensation est distance autant que profondeur. Baudelaire a bien remarqué dans les *Notes nouvelles sur Edgar Poe*, que « la construction, l'armature pour ainsi dire, est la plus importante garantie de la vie mystérieuse des œuvres ».

_____

33. *Lied fantasque*, p. 88.

De tout temps les poètes ont puisé dans la nature les éléments qui s'harmonisent avec leur vision des choses. Ils l'ont fait chacun à leur façon. En fonction du tempérament poétique se précise ainsi la distance entre le paysage et le cœur, et aussi la relation entre une chose aperçue et un sentiment éprouvé. L'objectif de Nelligan, lorsqu'il contemple les espaces ouverts, n'est nullement le simple désir de s'extasier devant la nature printanière ou automnale, mais d'en faire, en un clin d'œil, le paysage de son inquiétude. Le poète semble précisément vouloir attirer le paysage vers lui, le posséder entièrement. Le contour descriptif n'est alors qu'un prétexte, utile sans doute, mais uniquement fonctionnel par rapport à l'état d'âme. Il se fait ainsi un élargissement heureux du moi, une dilatation de la conscience.

Dans cet échange des voix, entre la nature et la conscience, il y a un lieu qui se prête merveilleusement à toute une gamme d'émotions: c'est le jardin, le jardin d'antan, le jardin couvert de feuilles mortes. On n'aurait pas pu imaginer un meilleur endroit pour traduire le sentiment engendré par la fuite du temps:

> Au jardin clos, scellé, au jardin muet
> D'où s'enfuirent les gaietés franches,
> Notre jardin muet
> Et la danse du menuet
> Qu'autrefois menaient sous branches
> Nos sœurs en robes blanches.

> Mais rien n'est plus amer que de penser aussi
> A tant de choses ruinées!
> Ah ! de penser aussi,
> Lorsque nous revenons ainsi
> Par des sentes de fleurs fanées,
> A nos jeunes années [34].

deux strophes citées sont particulièrement riches. D'abord le contour vague d'un abri accueillant, dans lequel la gaieté et la tristesse peuvent se joindre et s'entremêler, Paysage musical par excellence, *Le Jardin d'antan* est sans nul doute l'un des meilleurs poèmes de Nelligan. Les

---

34. *Le Jardin d'antan*, p. 55-56.

le jardin signifie en même temps la saisie intime d'une durée dont l'essentiel demeure sur le chemin du souvenir: le monde surgit du passé, devient réel, vibre fortement sur la tige fragile de l'émotion et, à la faveur d'une prise soudaine de conscience, se fane et tombe en ruines. Puis, la musicalité de la strophe, — six différentes longueurs rythmiques enlacées seulement par deux rimes (12a, 8b, 6a, 8a, 7b, 6b), soupir profond situé habilement dans le troisième vers, renforcé par l'interjection dans le deuxième sizain, rétrécissement progressif du mouvement initial —, marie la rêverie au vocabulaire simple où la conjonction produit l'effet d'une brise enchevêtrée dans des branches. L'adjectif est entièrement décoloré, comme éteint dans la brume des souvenirs, bien adapté à la nostalgie. Ainsi, dans la texture verbale du poème, tissé bien plus de la souffrance que des couleurs, le cœur attristé vibre au diapason de la fuite du temps [35].

Le temps que Nelligan évoque est le temps d'un pathétique devenir dans l'écoulement des choses. Sa rêverie en sera profondément marquée, étant cris, spasmes, passé retrouvé, présent déchiqueté, sombre avenir. Ce temps ne compte guère par son étendue spatiale, mais par son acuité. Le mystère de l'instant, qui pourrait se définir comme une émotion profonde devant les choses qui passent, se manifeste chez Nelligan dans les mots *ruine, fané* et *fuyant*. A vrai dire, ces trois termes sont les énoncés du même phénomène. Ils ont en commun le pouvoir suggestif d'insister sur le continuel déchirement du cœur: infra-présence, si l'on veut, triplement accentuée dans les contours symboliques de l'univers imaginaire de Nelligan.

---

35. Il est intéressant de noter que Nelligan, inscrivant, en septembre 1897, son sonnet *Salons allemands*, dans le carnet-souvenir de son ami Louis-Joseph Béliveau, a mis en exergue: « un sonnet extrait de *Pauvre Enfance* ». Selon toute vraisemblance, le premier cycle de son recueil aurait dû porter ce titre. Plus tard, il l'a cependant changé en *Villa d'Enfance*, optant en définitive pour *Le Jardin de l'Enfance*. Il s'ensuit que le poète ramenait peu à peu sa vision au symbole du jardin qui devient l'emblème de son enfance.

« Tant de choses ruinées [et] de sentes de fleurs fanées [36] » ! — soupire le poète au seuil de son jardin imaginaire. Et il continue: « contemple le dégât du Parc magicien où s'effeuillent, au pas du Soir musicien, des morts de camélias de roses [37] ». Déjà en 1896, dans un de ses premiers poèmes, le jeune Nelligan écrivait: « Feuille livide au mauvais vent... l'heure râle, pleure et s'écoule [38] ». Dans quelque Afrique lointaine, le perroquet pleure la mort d'une vieille négresse et se fait « un nid de pierrailles en des ruines de murailles [39] ». Les angélus sont « fanés, sans voix [40] ». Ses bonheurs s'écroulent comme des murs de briques lorsque le poète contemple « les lèvres fanées [41] » de sa mère. Même dans le pastel de teinte parnassienne, « parmi les eaux d'or des vases d'Egypte, se fanent en bleu, sous les zéphirs tristes, des plants odorants [42] ». Or dans des vers de telle résonance surgissent simultanément la rêverie et la nature. Le motif lyrique est nostalgiquement romantique: Nelligan ne se sent vraiment chez lui qu'au sein du paysage évanescent.

Dégager de la coulée du temps cet instant « fané » de Nelligan signifie mesurer, dans une étendue onirique, la tristesse d'un homme frustré.

> Comme des larmes d'or qui de mon cœur s'égouttent
> Feuilles de mes bonheurs, vous tombez toutes, toutes.
>
> Vous tombez au jardin de rêve où je m'en vais,
> Où je vais, les cheveux au vent des jours mauvais.
>
> Vous tombez de l'intime arbre blanc, abattues
> Çà et là, n'importe où, dans l'allée aux statues.
> ....
> Et vous tombez toujours, mêlant vos agonies,
> Vous tombez, mariant, pâles, vos harmonies.

36. *Le jardin d'antan*, p. 56.
37. *Dans l'allée*, p. 60.
38. *La Chanson de l'ouvrière*, p. 209.
39. *Le perroquet*, p. 123.
40. *Les Angéliques*, p. 59.
41. *Devant deux portraits de ma mère*, p. 53.
42. *Fantaisie créole*, p. 155.

> Vous avez chu dans l'aube au sillon des chemins;
> Vous pleurez de mes yeux, vous tombez de mes mains [43].

Le centre du poème, c'est « l'intime arbre blanc ». Cet arbre se trouve « au jardin du rêve ». Ses feuilles signifient les bonheurs révolus et les larmes. Bref, le paysage bien restreint s'épanouit dans le cœur, et le cœur dans le paysage. Tous les deux s'enrichissent mutuellement au profit d'une exquise sensation de tristesse. Sérénade triste ? — Disons plutôt une rupture, faille de conscience dans laquelle tout un monde gît, englouti.

Nous avons déjà souligné que la rêverie de Nelligan se complaît dans le monde imaginaire qui se prête facilement à la compression, au déplacement vers l'intérieur. Les objets saillants, — l'arbre et la montagne, par exemple —, sont rares: dans le registre des expressions nelliganiennes, ils n'entrent pas dans la catégorie des moyens de transposition dominants. Certes, nous notons la présence des chênes, des érables, des cyprès et d'autres genres d'arbres, mais ils jouent d'ordinaire le rôle d'élément décoratif. (« L'intime arbre blanc » est une exception). En général, ce sont les « arbres cambrant leurs massifs torses noirs [44] », ou les « arbres évaporant des parfums opiacés [45] », « l'ombrageux platane [46] », ou encore les cyprès à « l'aspect atone [47] ». Personnifiés, « les cœurs des grands ifs ont des plaintes de morts [48] ». Pareillement, la montagne surgit à peine dans le lointain sous la forme vague des « monts éternels [49] ». Cette carence s'explique par la nature même du rêve de Nelligan. L'arbre et la montagne se caractérisent par leur fixité, leur enracinement à la terre. Ils subissent le sort de l'immobile présence. En revanche, Nelligan tend à s'associer aux objets en éternel mouvement. Il nous convie ainsi à dépasser avec lui la fausse lumière

43. *Sérénade triste*, p. 190.
44. *La fuite de l'Enfance*, p. 57.
45. *Sous les faunes*, p. 196.
46. *Sieste ecclésiastique*, p. 222.
47. *Roses d'octobre*, p. 192.
48. *Nuit d'été*, p. 102.
49. *Sur un portrait de Dante*, p. 221.

de l'objet inerte, et à atteindre, par un élan redoublé, une nouvelle sphère de connaissance poétique.

Se voir dans la beauté du mouvement, merveilleusement ailé dans l'espace, c'est imaginer le destin poétique sous la forme de l'oiseau. Elévation, vol, tremblement, chant, l'oiseau sera également pour Nelligan descente, chute, plongeon. Merles, colombes, robins, hirondelles apparaissent dans son paysage imaginaire. Ils ressemblent aux fleurs éparpillées dans l'azur, aux croix en miniature au dire de Claudel, aux feuilles voltigeantes; tout un jardin de rêves s'élève dans les ailes écartées: le rêve blanc des oiseaux solitaires [50]. Leur montée et leur descente correspondent au mouvement lyrique. La hantise de l'amour et l'idée de la mort s'annoncent dans des vols, pour ne pas dire des chutes, au sein des poèmes *Le Robin des bois* et *Les petits oiseaux*.

A lire *Les Corbeaux* nous parvenons vite à comprendre la profonde signification de l'oiseau dans le paysage. L'identification est déjà toute manifeste dans le premier vers:

> J'ai cru voir sur mon cœur un essaim de corbeaux
> En pleine lande intime avec des vols funèbres,
> Des grands corbeaux venus de montagnes célèbres
> Et qui passaient au clair de lune et de flambeaux [51].

Le quatrain entier tend à ramener tout le paysage fantastique vers l'intérieur du moi. Les corbeaux vivent « en pleine lande intime »: ils se sont posés sur le cœur, ils deviennent la forme d'une voix qui se matérialise grâce aux métaphores suggestives.

Cette qualité d'être se précise encore davantage dans un autre très beau quatrain, simple ébauche de poème, alors que le poète fait proliférer, en un ordre nouveau, la signification symbolique de l'oiseau:

> Je sens voler en moi les oiseaux du génie,
> Mais j'ai tendu si mal mon piège qu'ils ont pris

---

50. *Soirs d'automne*, p. 119.
51. *Les corbeaux*, p. 120.

Dans l'azur cérébral leurs vols blancs, bruns et gris,
Et que mon cœur brisé râle son agonie [52].

Comme celui d'Anne Hébert à la fin des *Songes en équilibre*, « les oiseaux du génie » de Nelligan posent les problèmes du don poétique et du drame de la création. Le renversement de l'imaginaire se solde, dans le dernier vers, par un heureux approfondissement de l'image: à l'oiseau-vol, à l'oiseau-génie, à l'oiseau-fuite s'associe le « cœur brisé ».

Les motifs de l'oiseau et du vol ouvrent la poésie de Nelligan sur les merveilles de l'infini. Il va falloir maintenant scruter ces horizons:

...ô ce grand soir, empourpré de colères,
Qui, galopant, vainqueur des batailles solaires,
Arbore l'Etendard triomphal des Octobres [53] !

La ligne mélodique de l'horizon s'élève en trois cris successifs: colères empourprées, batailles solaires, Etendard des Octobres. La consonne vibrante « r » procure à l'image le timbre aigu et s'accorde à l'expansion de l'inquiétude. Il n'est même pas nécessaire de jeter le « je » dans la braise du couchant. Le contour descriptif subit l'emprise du cœur, marqué des barres du rythme et, dans le vers final, d'un prodigieux éclatement de l'espace. La présence d'un regard anxieux est l'essence même de ce tercet.

La couleur qui fait songer au franchissement de la solitude, à l'explosion de l'espace, c'est la pourpre. La pourpre des aurores, mais surtout la pourpre des couchants introduit dans le paysage nelliganien la voix d'une âme exacerbée: ce rouge ressemble à celui des *Voyelles* de Rimbaud. Une secrète correspondance s'établit aussitôt entre le flamboyant et le sang. L'âme révoltée et insoumise emplit la lande « aux heures empourprées [54] », elle s'écoute complaisamment dans « ce grand soir empourpré de colères [55] », comme l'œil attentif fixé sur

---

52. *Je sens voler*, p. 230.
53. *Soirs d'octobre*, p. 98.
54. *Automne*, p. 101.
55. *Soirs d'octobre*, p. 98.

l'horizon, elle remarque que « le soir qui s'en vient, du sang de ses reflets empourpre la splendeur des dalles monastiques [56] ». Une tonalité nouvelle surgit alors dans cette couleur royale. Le monde n'est plus douceur, mais violence sous le signe du soleil. Le vide semble être momentanément vaincu par la force du firmament. Le langage poétique en subit même les effets: en général, la forme active du verbe se révèle plus persuasive qu'un simple adjectif appuyant le mot. Phonétiquement, le verbe « empourprer » vit déjà victorieusement parmi d'autres vocables, car il vibre de toute sa force dans le « r » répété, s'élève dans les « p » explosifs et allonge sa « sémantique visionnaire » par l'agencement heureux des voyelles. Dans les « crépuscules roux [57] », ce mot magique engendre des métamorphoses auxquelles le monde entier semble se subordonner: « les lys cristallins, pourprés de crépuscules » [58] autant que la véranda rose, exotique [59] et la noble stature d'un sculpteur, aperçue à travers le vitrail [60]. On dirait qu'un intime appel de force est adressé au monde d'habitude triste et vacillant, pour que l'inquiétude puisse revivre son fulgurant élan. La pourpre rend l'identité sensible à travers l'image qui est à la fois horizon coloré et correspondance significative.

Dans bien des poèmes de Nelligan la parole poétique communique avec le monde entier. Le poète semble alors déplacer à son gré le contour géographique pour faire place aux objets et couleurs exotiques. L'évasion s'effectue rapidement, avec le seul souci de faire valoir l'inconscient obscur dans une illumination nouvelle. L'exotisme de Nelligan est, en effet, une autre tentative de dépassement dans la perspective de l'inconnu, une autre manifestation de son angoisse au sein d'un univers magique. D'ailleurs, déjà dans sa chambre enclose, il promenait longuement son regard sur l'éventail japonais, le saxe

---

56. *Moines en défilade*, p. 216.
57. *Rêve de Watteau*, p. 103.
58. *Soirs d'automne*, p. 119.
59. *Fantaisie créole*, p. 155.
60. *Sculpteur sur marbre*, p. 219.

allemand, le miroir vénitien et bien d'autres objets autour desquels sa « pensée de lunes d'or lointaines » tissait, de reflets et de scintillements, un Eden énigmatique pour ses souvenirs d'enfance. Ces objets précieux préludaient alors à l'évasion qui promet l'enivrement « le long des forêts de santal » (Les Angéliques). Les mots tels que « vitchoura », « bengali », « sirocco », « hachich », « Sambo », « hallali », « perroquet », portent déjà en eux la magie d'une sensation agrandie, ayant en quelque sorte un pouvoir d'évocation et de projection sans limite. Le moi poétique vit ainsi au-dessous d'un exotisme bien plus affectif que descriptif car, au fond, ce monde dans le lointain n'existe pas par soi-même, mais par l'ardent désir de rêver dans un abri factice où la pensée s'égare et la douleur s'oublie.

Elève de Leconte de Lisle et de Heredia, lecteur assidu du *Samedi* et *du Monde illustré*, Nelligan a accumulé dans sa mémoire un bagage suffisant de connaissances pour se sentir à l'aise au sein de son monde exotique. Il y a pourtant une différence fondamentale entre l'art qualifié de parnassien et le procédé qui est celui de Nelligan dans ce genre de création. Si, par exemple, dans *L'Antiquaire*, le jeune poète s'efface dans le tableau dédié en entier à ce « Vieux Juif d'Alger ou du Maroc », dans la plupart de ses poèmes exotiques, en revanche, l'artiste intervient dans la description et fait même valoir l'objet ou le paysage par sa présence fortement accentuée. Relisons la *Potiche*. Le paysage s'organise à partir d'un vase d'Egypte. Le décor, — sphinx bleus, lions ambrés, immobile Isis, eau d'argents, tons de ciel marbrés —, étale suffisamment d'éléments pour que l'espace s'ouvre sur la splendeur des pyramides. Mais, dans ce paysage habilement réinventé, l'âme du poète s'introduit, à partir du troisième tercet, de façon inattendue. Il se fait même une identification très nette entre l'objet et la vie intérieure de l'artiste: dans « sa fausse moulure » tout l'exotisme du début se pénètre des tourments d'une âme angoissée. Semblable procédé s'impose lorsque le souvenir d'amour s'empare de l'esprit du poète: le thème de Gretchen, en particulier, permet de rejoindre le monde ambiant de la musique (*Five O'clock*), les roses enchanteresses de Westphalie (*Lied fantasque*), le

55

pays merveilleux d'une souple Anadyomène, Paros qui tue avec ses bras de marbre (*Gretchen la pâle*). L'exotisme et l'inquiétude, on le voit bien, se conjuguent ici constamment au profit de la signification lyrique.

Il va sans dire que la perspective exotique de maints poèmes de Nelligan est caractérisée par un élargissement spectaculaire de l'espace et l'illumination nouvelle des vérités intimes. En soi, cet accès au monde imaginaire permet au poète d'agrandir sa puissance de voir et de sentir. Grâce à un cadre géographique mobile, grâce aussi à une synchronisation du souvenir, du désir inconscient et du décor imaginaire, le rêve exotique vise à fixer le temps dans un effort de libération. A l'horizon de la fascinante réalité inventée, l'angoisse d'être s'associe, dans un évanouissement passager, aux images éclatantes. Il n'en reste pas moins, que le germe du mal persiste, simplement travesti dans un ondoiement de lumière, de chatoiement et de profondeur. On aura remarqué, en effet, qu'entre Tolède et la Westphalie, entre le Maroc et le Kremlin, entre Athènes et l'Egypte, le frisson obsédant de l'âme inquiète rejoint le désir de libération. L'espace ouvert sur l'inconnu est constamment habité par un cœur qui s'écoute au-delà même de toutes les connivences possibles. Si nous voulons user des métaphores qui sont celles de *Fantaisie créole*, nous dirions qu'en « des sangs de soir, aux encens de rose », l'âme de Nelligan se grise « parmi les eaux d'or des vases d'Egypte ».

Le couchant empourpré sied à merveille aux aspirations nelliganiennes. Mais le couchant est aussi le prélude de la nuit, l'agonie du jour. La victoire du feu n'est point durable: elle est passagère. En tournant la roue des saisons, le temps œuvre patiemment dans la coulée des heures embrasées; Nelligan connaît les illusions de l'éphémère évasion. Cet univers éclaboussé de pourpre, plein de force lumineuse, fixé dans le ciel automnal, va s'écrouler, s'évanouir !

> Qu'elle est triste en Octobre avec sa voix **pourprée**
> La Vesprée [61] !

***

61. *Qu'elle est triste*, p. 249.

Le poète a eu le privilège de humer l'air parfumé du soir proliférant; le voici de nouveau dans le désert de son moi. La nuit s'annonce comme un long frisson.

Fréquent, le frisson de la poésie de Nelligan se révèle à nous comme bruit, mouvement ou spasme. Voix prenante de la nature, ce frisson est aussi la voix caverneuse de la conscience. Les exemples suivants illustrent ce double aspect:

> 1.   La nuit s'appropriait peu à peu les rideaux
> Avec des frissons noirs à toutes les croisées [62].
>
> Le Saxe tinte. Il est aube. Sur l'escalier
> Chante un pas satiné dans le frisson des gazes [63].
>
> 2. .... Des sons
>
> Gémissent sous le noir des nocturnes frissons,
> Pendant qu'une tristesse immense nous effleure [64].
>
> Au frisson fou de mes vertèbres
> Si je sanglote éperdument,
> C'est que j'entends des voix funèbres
> Clamer transcendantalement [65].

Le frisson figure plus expressivement le tremblement du corps et de la conscience. C'est comme un glissement de la peur dans les muscles et les os, dans l'esprit et le cœur de l'être désemparé.

Contiguë au frisson est la sensation du froid, inscrite originalement dans les images de neige et de givre. La durée poétique, qui a connu son épanouissement rouge dans des soirs d'automne, s'immobilise dans la blancheur du paysage hivernal. Des plaines enneigées respirent le râle des vents. Et le miracle intérieur continue à vivre, transfiguré cette fois par une étendue engourdie: une lassitude, comme « un couvercle de plomb », pèse sur l'âme attristée. « C'est que je vois mourir, avoue Nelligan, le jeune espoir des merles sur l'immobilité glaciale des jets

62. *Prière du soir*, p. 151.
63. *Les Camélias*, p. 161.
64. *La Cloche dans la brume*, p. 188.
65. *Marches funèbres*, p. 174.

d'eau [66] ». « Mon cœur cristallisé de givre ! [67] » Les confidences et les exclamations se succèdent et se confondent. Le songe épouse la forme d'un soupir emprisonné dans la glace; il gît quelque part entre la surface blanche et la profondeur noire: « tous les étangs gisent gelés, mon âme est noire [68] ». La correspondance s'établit brutalement entre le paysage d'hiver et l'hiver de l'âme. A ce sujet, le poème *Soir d'hiver* est des plus révélateurs:

> Ah! comme la neige a neigé!
> Ma vitre est un jardin de givre.
> Ah! comme la neige a neigé!
> Qu'est-ce que le spasme de vivre
> A la douleur que j'ai, que j'ai [69] !

Le rêve est triplement entravé: par la neige, la vitre et la douleur. Le paysage hivernal et la sensation de tristesse sont confondus en une seule et obsédante exclamation. A la manière mallarméenne la solitude augmente en face du monde dont l'accès a été interdit au poète: la vitre fascine le regard, invite au voyage et, en même temps, établit une barrière transparente entre le dedans et le dehors. « De singulières ombres pendent aux vitres usées », dit Mallarmé dans *Frisson d'hiver*; le givre «s'éternise, hivernalement s'harmonise aux vieilles glaces de Venise ! » s'écrie Nelligan dans son poème qui porte un titre identique. Mallarmé et Nelligan parlent tous les deux le langage des rêveurs emprisonnés dans leur propre moi.

Froid, hiver, nuit se superposent constamment dans les derniers poèmes de Nelligan et forment une riche contiguïté par rapport aux émotions. Dans cette distance focale toute lumière aboutit à l'ombre, tout printemps à l'hiver, toute parole au silence. A vrai dire, c'est le mystère du temps qui polarise tous ces mouvements. Et la poésie de Nelligan s'en imprègne. Dans l'écoulement et la transfiguration des

---

66. *Five o'clock*, p. 84.
67. *Rêves enclos*, p. 81.
68. *Soir d'hiver*, p. 82.
69. *Ibid.*, p. 82.

choses le poète ne peut que mieux approfondir la tragédie de son esseulement:

> Et je voudrais rêver longuement, l'âme entière,
> Sous les cyprès de mort, au coin du cimetière
> Où gît ma belle enfance au glacial tombeau [70].

Au creux de la solitude nelliganienne vit l'idée de la mort. Elle est le stimulant précieux pour les rebondissements du rêve et aussi la cause de sa chute icarienne. Vivre signifie pour Nelligan s'abandonner à sa sensibilité maladive. L'envahissement progressif de la nuit ne peut qu'engendrer la sensation d'un immense vide noir.

La nuit de Nelligan, à quelques exceptions près, s'impose surtout par sa dimension hallucinatoire. Quoi de plus évocateur que ces six vers qui achèvent l'un de ses paysages nocturnes:

> La bise hurle; il grêle; il fait nuit, tout est sombre;
> Et voici que soudain se dessine dans l'ombre
> Un farouche troupeau de grands loups affamés;
>
> Ils bondissent, essaims de fauves multitudes,
> Et la brutale horreur de leurs yeux enflammés
> Allume de points d'or les blanches solitudes [71].

Que ce passage soit sorti directement des tourments de l'âme du poète, c'est l'évidence même. L'expression de l'horreur s'appuie ici sur le jeu des contrastes: dans l'étendue nocturne les blanches solitudes, dans l'ombre omniprésente les yeux enflammés, dans l'hiver paralysant des grands loups affamés. Contrastes, mais aussi correspondances éminemment suggestives ! Car la nuit dans le paysage est avant tout la nuit du cœur. Une peur remue toutes les épaisseurs de l'être.

Au sein de la nuit, l'inquiétude s'intensifie par la présence du monde spectral: le chat fatal qui mange le cœur du poète « la gueule ouverte, étrange thème du chat du Désespoir [72] »; « Spectre des Ennuis [...], claquant

---

70. *Ténèbres*, p. 197.
71. *Paysage fauve*, p. 158.
72. *Le chat fatal*, p. 271-272.

des dents, féroce et fou [73] », horrible et mystérieux comme le Raven d'Edgar Poe; « le grand bœuf roux aux cornes glauques (meugle) dans les couchants horriblement ses râles rauques [74] ». Et la liste des citations pourrait être allongée facilement. Mais ces exemples permettent déjà de constater que l'image poétique s'ajuste dorénavant à la névrose. Tantôt c'est la brusque apparition de l'animal transfiguré par le songe, tantôt la visite d'un fantôme qui ne vit et n'agit qu'en vertu d'un message lugubre. Baudelaire, Rollinat et Poe soutiennent admirablement l'éclosion de la fantasmagorie nelliganienne. En leur compagnie, le poète montréalais parvient à inventer ses signes poétiques pour traduire ainsi sa conscience en désarroi.

La conscience noire, travaillée par le doute et l'angoisse, n'est rien d'autre qu'un pacte conclu avec la mort. Le thème du cauchemar montre comment le monde de Nelligan se rétrécit. Un mur noir encercle de partout la flamme visionnaire. Le jeu de ses pensées ressemble à un bal déchaîné de spectres dans quelque château séparé du monde:

> Alors que je revois la lugubre terrasse
> Où d'un château hanté se hérissent les tours,
> L'indescriptible peur des spectres d'anciens jours
> Traverse tout mon être et soudain me terrasse.
>
> C'est que mon œil aux soirs dantesquement embrasse
> Quelque feu fantastique errant aux alentours [75].

La présence du feu n'est pas ici, à vrai dire, un élément nouveau. Nous l'avons déjà aperçu sous forme d' « album de flamme [76] » dans Le Jardin de l'Enfance. Nous avons aussi souligné l'importance du feu des couchants. Mais le feu du cycle spectral est différent de celui qui n'était que l'épanouissement radieux de la lumière ou l'éclairage pourpre du paysage. Maintenant, c'est le feu qui n'est engendré ni par le soleil, ni par le foyer: né de la nuit, il est soutenu et consommé par la nuit. Un tel feu, Nelligan

---

73. *Spectre*, p. 274.
74. *Le bœuf spectral*, p. 179.
75. *La terrasse aux spectres*, p. 275.
76. *Devant le feu*, p. 50.

l'appelle « flamme noire ». L'indicible vertige vit dans cette expression. Feu mélangé à la nuit, l'hallucination se veut totale. « Horrible ombre de feu ! [77] », — crie le poète à plusieurs reprises. Et les vers suivants traduisent à merveille ces sensations de terreur:

> ...le fumeux flambeau
> Embrase au fond des Nuits mes bizarres Ténèbres [78] !

« Le fumeux flambeau » c'est la vie qui fuit; le « fond des Nuits » c'est le néant, c'est la mort. Le pluriel des substantifs donne au drame personnel l'ampleur du drame universel. Le feu est noirci, presque dévoré par les ténèbres. Il brûle sans briller. La vérité appréhendée dans cette image fait sauter d'un seul coup la sémantique ordinaire des mots: les métaphores cèdent leur place au symbole.

La conséquence logique de ce naufrage progressif sera, en dernier lieu, l'étendue tombale du rêve. Plongeon dans la terre ? Plongeon dans un gouffre ? Peu importe ! Toute direction disparaît dans la nuit totale. Le songe enseveli ne doit à l'espace que l'unique souvenir des lumières éteintes. Le tombeau que Nelligan imagine, — l'hommage à Baudelaire autant que le symbole du dénouement de sa propre crise —, sera un tombeau « lunaire », situé hors du temps dans l'immensité cosmique:

> Je rêve un tombeau épouvantable et lunaire
> Situé par les cieux, sans âme et mouvement [79].

Admirable chute dans l'infini ! Le rêve de la vie se fige dans le rêve de la mort. L'âme et le mouvement se dissipent dans un immobilisme sans nom. La conscience n'est qu'un miroitement lunaire, toute crispée au terme de son parcours imaginaire.

Nous venons de suivre, dans l'horizontalité de ses élans et dans la verticalité de ses vertiges, le rêve de Nelligan. Pathétique conquête de l'espace imaginaire, il est autant émanation de sa conscience d'artiste. Il a grandi entre le

77. *Moines en défilade*, p. 216.
78. *Ténèbres*, p. 197.
79. *Le tombeau de Charles Baudelaire*, p. 241.

monde en blanc et le monde en noir, entre le ciel et le gouffre. Il s'est reposé endolori dans des lieux enclos: chambre, chapelle, cloître, jardin... Il a vécu des instants privilégiés, arrachés aux saisons, aux jours, aux nuits. Partout les frissons, les fleurs fanées et les ruines. A peine ici et là l'horizon éclate-t-il en feux empourprés. C'est la nuit qui domine, nuit bizarre, spectrale, funèbre. Un frisson glacial a marqué très tôt la sensibilité de l'artiste. D'où ce paysage nostalgique où la conscience se démène, s'épuise et succombe.

La vie intime de Nelligan se reflète de mille façons dans l'espace imaginaire. C'est que le mystère de l'universelle souffrance se répercute dans la vision poétique de l'auteur du *Vaisseau d'Or*. Le « vous » que le poète emploie ici et là, sonne comme une invitation fraternelle à la méditation sur le destin humain. Sa rêverie s'affirme par son pathétique et par sa sincérité. Même dans les sphères les plus fantasques, même dans le monde exotique des parnassiens, la voix de Nelligan s'identifie par son timbre de confidence et de douleur. Romantique trajectoire dans une fin de siècle symboliste, nous dira-t-on. Soit ! L'essentiel de l'expérience nelliganienne vise l'énigme du temps, donc le sens même du devenir. Ici, peu importe le qualificatif qu'on donne à l'aventure poétique: elle est vraie en soi, même si elle s'accomplit dans un monde imaginaire. Foucaut suggère fort bien que « l'imaginaire n'est pas un mode de l'irréalité, mais une manière de prendre en diagonale la présence pour en faire surgir les dimensions primitives [80] ». C'est justement pourquoi le rêve nelliganien, qui vaut certes par ses apparences esthétiques, vaut bien davantage et surtout par ses racines invisibles.

---

80. Foucaut, cité par Mikel Dufrenne, dans *Le Poétique*, Paris, NRF, 1940, p. 134. Le lecteur trouvera bien des détails intéressants sur le rêve et l'imaginaire dans les ouvrages de Gaston Bachelard, plus particulièrement dans *L'air et les songes*, *L'eau et les rêves*, *La poétique de l'espace* et *La poétique de la rêverie*. On consultera aussi avec profit le livre de Jean-Paul Sartre, *L'imaginaire*, Paris, NRF, 1940, ainsi que celui d'Hélène Tuzet, *Le Cosmos et l'imagination*, Paris, José Corti, 1965.

III. THÉMATIQUE

Le mot « thème » n'est point inconnu de ceux qui pratiquent l'analyse littéraire. « L'ancienne critique » ne peut pas se vanter d'en avoir trouvé la définition souhaitable; « la nouvelle critique » est toujours à la recherche d'une belle formule. Les uns y cherchent l'homme, les autres, le secret d'une structure. La psychologie ne craint pas de se servir du patron psychanalytique pour détecter le thème dans l'obsession; la phénoménologie opte pour la description de « la sensation diagonale » afin d'y cerner l'essence générique d'une expérience. Jean-Paul Weber ira même jusqu'au « monothématisme » de l'œuvre littéraire, formule à laquelle nous ne saurions souscrire. Toutes ces approches ont en commun le mérite de témoigner de la complexité du point en litige. Et si le rêve est le halo du vécu, le thème en sera la quintessence.

Mais il serait faux de ne voir dans les thèmes que de simples manifestations du vécu. Déterminant est l'art qui moule la vie en des formes adéquates. La cause principale du malentendu semble résider dans le fait qu'on confond souvent le thème et le motif poétique. Ce problème nous paraît capital. Nous ne pourrions mettre en valeur l'originalité de la thématique de Nelligan sans exposer préalablement notre point de vue là-dessus.

Dans son étude sur Gide, Jean Hytier a défini les thèmes poétiques comme « les grandes orientations de l'affectivité

profonde [1] ». Beethoven se plaisait à appeler le thème « l'idée musicale ». Formules suggestives si on les rapproche du concept de Mallarmé qui voyait dans les thèmes les vraies racines de l'œuvre. Qu'est-ce en effet qu'un thème poétique sinon la prolongation d'une durée intime dans un univers de mots et d'images ? Il est un principe d'organisation et de fixation, ayant le pouvoir secret de révéler la vraie signification d'une expérience artistique. Ainsi, la thématique n'est pas la totalité de l'expressivité d'une œuvre, mais le relief de la structure; elle n'est pas non plus le sublime ou la tare de l'être, mais la preuve authentique de sa présence.

Par ailleurs, même abondamment nourri de sensibilité et de conscience, le thème poétique deviendrait pure banalité si l'artiste était incapable de l'incarner dans une forme expressive. D'autre part, la forme la plus raffinée, mais coupée de la vie authentique, risque de dégénérer en un fade exercice littéraire. Or les moyens de transposition que le poète invente pour que son aventure intérieure s'extériorise et fixe sa qualité, nous les appelons les motifs poétiques. Le rapport entre ceux-ci et le thème est semblable à celui qui existe entre le tronc d'un arbre et ses racines. C'est dans le monde de l'expression que le thème poétique trouve sa preuve, pareil à la sève des racines épanouie dans les branches. Les thèmes et les motifs constituent donc la vraie charpente de l'univers poétique.

Il appartient au critique d'aller du motif au thème ou en sens inverse pour cerner la signification d'une œuvre. Il est surtout important d'établir la nature des rapports en vertu desquels le thème et le motif accomplissent leur fusion, leur unité. L'acte créateur relève de l'effort et s'accomplit dans le mystère. Prétendre tout expliquer, le mécanisme du psychisme et les structures de l'œuvre, illuminer d'un seul coup toutes les profondeurs de l'âme et du verbe, c'est une illusion. On devrait plutôt se mettre

---

1. Jean Hytier, *André Gide*, Paris, Charlot 1945, p. 32. Nous avons déjà traité de ce problème dans notre étude sur Anne Hébert: cf. *Poésie et symbole*, Montréal, Librairie Déom, 1965, p. 151.

eurs d'Emile Nelligan: Gertrude et Eva.
u centre: Béatrice Hudon, la cousine
rmaine du poète, à la laquelle il a dédié
n poème Béatrice (Collection Nelligan-Corbeil).

à la recherche des jalons marquants qui indiquent la direction du moi. C'est dans une telle optique que nous avons retenu les quatre thèmes dominants de l'œuvre de Nelligan: enfance, musique, amour, mort. En les étudiant en rapport avec les principaux motifs poétiques, nous espérons mettre en lumière les caractéristiques essentielles du lyrisme de Nelligan de même que la nature de son expression.

1. *Le thème de l'enfance*

Dans *Le Lac*, poème d'inspiration lamartinienne, Nelligan parle de « l'image qui flotte ». Image des cœurs noyés, des astres réfléchis, miroitement du ciel lointain dans le lointain des eaux, c'est déjà l'indice d'une invitation au voyage. Celui-ci s'accomplit le mieux dans la lumière lunaire. La profondeur de l'eau tremblante, confondue avec le ciel illuminé, traduit le non-mesurable. La rivière est inexistante dans la poésie de Nelligan: l'eau chez lui c'est l'étang, le lac, l'océan. Dans la rivière les ondes s'en vont, dans le lac elles se brisent. Encerclées de partout, elles parlent un langage hégélien; l'image de l'homme ressemble à l'image d'une vague: elle naît, s'élève et retombe dans le tournoiement des gouffres. C'est ainsi que Nelligan entend la signification de son poème, très bien résumée dans la dernière strophe:

> Ainsi la vie humaine est un grand lac qui dort
> Plein, sous le masque froid des ondes déployées,
> De blonds rêves déçus, d'illusions noyées,
> Où l'Espoir vainement mire ses astres d'or [2].

Le lac, c'est toute une vie emprisonnée dans le temps et, comme la vie, notre enfance y gît couverte du silence astral.

En d'autres moments Nelligan préfère l'océan, réel ou imaginaire, pourvu qu'il soit à la dimension de son rêve. La mer est la gageure du vertige et de la liberté totale. Etendue sans rivages, elle est comme un miroitement

---

2. *Le Lac*, p. 183.

d'éternel. « L'Eternité, dit Rimbaud, c'est la mer mêlée au soleil ». Au *Bateau Ivre* rimbaldien correspond le *Vaisseau d'Or* de Nelligan. « Je rêve toujours au vaisseau des vingt ans [3] », s'exclame le poète montréalais. Projection vers l'imaginaire ? Elan lumineux d'une durée incertaine ? Promesse d'une conquête ? Pressentiment d'un désastre ? Oui, tout cela et bien d'autres choses encore ! Allégorie d'abord, symbole polyvalent ensuite, le célèbre sonnet de Nelligan véhicule dans ses ensembles verbaux amour, idéal, cadavre [4]. Imprégné de conscience, ce vaisseau imaginaire essaie toutes les vitesses, toutes les directions. Il s'épanouit sous la lumière des souvenirs et des rêves; il est immense et tout en or. Et bientôt il ne sera qu'un rayon perdu dans le néant des gouffres. « Un grand vaisseau d'or, disait le Rimbaud d'*Une Saison en Enfer*, au-dessus de moi, agite ses pavillons multicolores »...

Mais l'interne vitalité du vaisseau de Nelligan permet d'autres interprétations que celle qui réfère uniquement au naufrage. Chargé d'indications précises, le symbole du vaisseau est, en premier lieu, un moyen poétique d'approcher l'avenir autant que de reconquérir le passé:

> Gagnons les bords fanés du Passé. Dans les râles
> De sa joie il expire. Et vois comme pourtant
> Il se dresse sublime en ses robes spectrales.
>
> ....
>
> Et bien loin, par les soirs révolus et latents,
> Suivons là-bas, devers les idéales côtes,
> La fuite de l'Enfance au vaisseau des Vingt ans [5].

L'effort de l'imagination poétique consiste ici à susciter chez le lecteur la sensation de la fuite du temps. Il s'agit

3. *Ténèbres*, p. 197.
4. Considérons, à titre d'exemple, ces quatre citations: « le vaisseau d'or qui glisse avec l'amour en poupe », (*Banquet macabre*, p. 125); « nous prendrons vaisseau sur la mer idéale où l'ouragan se ferle », (*Placet*, p. 67); « Et je rêve toujours au vaisseau des vingt ans, depuis qu'il a sombré dans la mer des Etoiles », (*Ténèbres*, p. 197); « Lent comme un monstre cadavre, mon cœur s'amarre au havre de toute hétéromorphe engeance », (*Je veux m'éluder*, p. 253).
5. *La Fuite de l'Enfance*, p. 57.

de faire revivre une durée qui en soi est révolue. Et la saisie de ce phénomène, dans toute sa complexité, est possible grâce au motif du vaisseau dont le symbolisme renvoie à l'enfance perdue. Paradoxale autant qu'admirable. cette synthèse poétique introduit au cœur du présent l'éternel problème des choses qui passent.

Associée au bonheur, mirage d'innocence et de joie, l'enfance sature l'œuvre nelliganienne et surgit à tout instant sous la forme des souvenirs. Il s'agit alors du temps retrouvé, ressuscité, revécu. Passé superposé au présent, le souvenir ressemble à une blanche apparition. Cette association est juste sans être neuve: déjà Rodenbach, auteur préféré de Nelligan, a su imprimer, à son recueil *Jeunesse blanche,* toute la nostalgie du passé. Avec un égal succès Nelligan établit le rapport lyrique entre le rétrospectif et la couleur poétique qui lui correspond:

> ...un souvenir vibre
> En moi.... là-bas, au temps de l'enfance, ma vie
> Coulait ainsi, loin des sentiers, blanche et ravie [6] !

L'articulation thématique s'élargit admirablement sur une passivité qui rapproche, dans une blancheur évocatrice, tout un monde de joies et de regret. Rodenbach et Nelligan se rencontrent dans la nostalgie de l'unité perdue, ce monde blanc des jours anciens.

La chère contiguïté que le souvenir instaure se retrouve dans bien des poèmes de Nelligan. La blancheur opaque coule dans les images comme le lait maternel. La tristesse y est le leitmotiv permanent. Alors revivent au cœur du poète « les Idéals blancs [7] », montent en lui des voix extatiques « en rogations blanches [8] », ressuscite parmi les échos d'anciennes musiques « le grand vol blanc du Cygne des phtisiques [9] »: partout « les plaines de blanc naguère [10] », « les blanches solitudes [11] ».

6. *Presque berger*, p. 107.
7. *Tristesse blanche*, p. 191.
8. *Chapelle dans les bois*, p. 133.
9. *Pour Ignace Paderewski*, p. 86.
10. *Rêve de Watteau*, p. 103.
11. *Paysage fauve*, p. 158.

Dans le monde de l'enfance qui change de forme, où l'on passe de la chambre au jardin, du jardin à la chapelle, de la sente fleurie à la plaine ravagée par le givre, un profil se projette constamment: c'est la mère du poète. L'atmosphère s'imprègne d'elle dans les poèmes comme *Devant mon berceau, Ma mère, Premier remords, Le Talisman*. Elle incarne la bonté angélique, résume toutes les impressions heureuses de « l'Eden blanc [12] ». Elle est le symbole de la douceur et de la pureté. Les gestes de ses mains sont particulièrement significatifs: « ses mains pures, blanches [13] ». Son front est couleur de lys, son regard un « éblouissant miroir vénitien [14] ». Elle se pare de beauté tantôt angélique tantôt parnassienne: « poème rose, marbre vivant ».

Mais en même temps, le brouillard des années voile ce portrait d'autrefois. Qui pourrait lui éclairer ce mystère des métamorphoses de l'être, le passage de la fleur épanouie à la fleur fanée ? La mère du poète était autrefois belle et rayonnante, aujourd'hui son front est creusé de rides. Nous retrouvons dans ces deux portraits le même espace percuté d'échos qui existe entre le souvenir et le présent. Toute chose entrée dans le rythme du poème nelliganien en épouse le mouvement et la triste sensation de passage.

L'image de la mère est chère au poète pour bien d'autres raisons. Les qualités que Nelligan évoque tendrement baignent dans le sentiment religieux dont le jeune artiste ne se séparera jamais:

> Et pendant que de Liszt les sonates étranges
> Lentement achevaient de s'endormir en nous,
> La famille faisait la prière à genoux [15].

Ce « cliquetis d'argent de chapelets », auquel les nefs des églises et les vitraux des chapelles ajoutent de la force et de la splendeur, revient souvent dans les stances « avec des

---

12. *La Belle morte*, p. 72.
13. *Ma mère*, p. 52.
14. *Devant deux portraits de ma mère*, p. 53.
15. *Prière du soir*, p. 150.

frissons noirs à toutes les croisées ». Le temps quasi sacral visite la maison alors qu'une auréole nimbe le front de la mère. Mais comme elle, comme toutes les choses que le poète a côtoyées, le sentiment religieux perd sa force d'attraction: il se transforme en litanies de rappels, en tourbillons de remords. L'image pieuse de sa mère miroite alors comme le soleil d'or dans la brume.

Un autre rapport qui s'établit entre la mère et le poète conduit au cœur même du mystère poétique. Nul doute que directement et indirectement Madame Nelligan constitue pour son fils une précieuse source d'inspiration. Sa beauté, sa bonté, sa voix, ses gestes, permettent une identification qui mérite d'être signalée: elle est extase, muse, poésie incarnée et tacitement vécue:

> Elle a les yeux couleur de ma vague chimère,
> O toute poésie, ô toute extase, ô Mère! [16]

Admirable confidence, hommage humblement filial, association progressive des deux états d'âme dans une synthèse poétique. Cette confidence captive par la sincérité et aussi par la cohérence du lyrisme qui s'achève dans l'exclamation finale. Nous avons remarqué pareilles résonances dans l'œuvre d'Alain Grandbois où les thèmes de l'enfance et de la mère constituent le départ émouvant pour une poésie cosmique [17].

A lire de près les poèmes où se développe le thème de l'enfance, — le cycle *Le Jardin de l'enfance* en particulier —, nous observons le contour changeant d'un monde révolu, qui vit de la palpitation des souvenirs: le jardin dont la beauté persiste dans les fleurs fanées, la chambre où se tiennent le berceau en bois blanc et les touches blanches d'un piano noir. L'enveloppante blancheur des objets

---

16. *Ma mère*, p. 52.
17. Il existe de nombreux poèmes dans *Les Iles de la nuit, Rivages de l'homme* et *L'Etoile pourpre* où Grandbois tisse un univers harmonieux fortement marqué par l'image de la mère. Il suffit de méditer un peu sur ces deux vers:
Elle était le soleil et la neige
Elle était la forêt elle était la montagne.
(*Rivages de l'Homme, Poème*).

muets ! La mémoire tisse tout bonnement le contour blanc
d'un paradis perdu.

Alors que le blanc meurt lentement dans sa froide
passivité, alors qu'il est prisme, ouverture et cloison, une
autre couleur surgit de temps en temps et lui sert de sou-
tien: c'est l'or. Il luit dans l'air transparent, dans l'eau et
sur la plaine: « l'étoile d'or dans les houx [18] », « de grands
lys d'or [19] », « les soirs d'or [20] », « l'Eden d'or de mon
Enfance [21] ». Elément décoratif du paysage romantique,
dirait-on. Mais, l'or surgit en particulier dans l'évocation
de la femme idéale, plus précisément dans le portrait de
sa mère. Elle est sa « muse de choses dorées [22] », elle a
« une voix au son d'or [23] », son front nimbé de joie est
comme un « soleil d'or [24] » au couchant des années; le
talisman que le poète reçoit d'elle est « comme un
lampion d'or [25] ». Devant pareille exubérance de l'or on
ne pourrait pas conclure que le pinceau trempe au hasard
dans la palette des couleurs. L'or est la deuxième couleur
angélique; l'or est aussi l'éclat des cadres et des choses
précieuses qui luisent dans la poussière du temps; l'or est
quasi impérissable. N'est-ce pas dans cette matière qu'a
été taillé le Vaisseau des Vingt ans ? Ce métal est à l'origine de toute une gamme d'associations, étant simultanément poids, éclat, son et lumière polyvalente. Sa vertu
symbolique tient à sa résistance. L'or rend à la passive
blancheur le sublime pouvoir de la durée. Sa froide
chaleur, son impassible éclat, sa muette noblesse sont
comme des clous magiques enfoncés dans le passé. Le
souvenir se maintient ainsi dans le faisceau des choses
évanescentes, tandis que le passé s'anime sous l'éclairage
d'un merveilleux paradoxe poétique. Cette jonction du
blanc et de l'or s'accomplit dans la restauration du bonheur,

---

18. *Bergère*, p. 113.
19. *Eventail*, p. 159.
20. *Salons allemands*, p. 238.
21. *Clavier d'antan*, p. 47.
22. *Ibid.*, p. 47.
23. *Ma mère*, p. 52.
24. *Devant deux portraits de ma mère*, p. 53.
25. *Le Talisman*, p. 54.

de l'idéal et de la joie, toutes ces choses aperçues par les yeux de l'enfant. Une illumination presque mystique rehausse alors la splendeur de l'instant momentanément récupéré par la conscience.

Mais si l'attraction est grande, si l'échafaudage des images se fait avec un luxe de comparaisons et de métaphores, le temps n'est pas vaincu. Le souvenir garde sa distance, et le présent fuit irrévocablement. Le monde de l'enfance succombe sous le poids des années; vague émoi, combien expressif se veut-il dans ces deux vers:

> Sous les cyprès de la mort, au coin du cimetière
> Où gît ma belle enfance au glacial tombeau [26].

Le sentiment dominant que tout meurt à tout instant renverse les espoirs de l'éveil merveilleux. Le poète ne peut parler autrement de la vie qu'à partir du présent noir. Il imagine même, dans un présent futur, la mort de sa mère *(Le Talisman)*, la mort de sa sœur *(La Sorella dell'amore)*. La durée des êtres chers se brise comme celle du poète; le pont entre hier et aujourd'hui s'écroule. Le réel ne se précise autrement que dans le lent évanouissement du monde; l'étoile ne vit pour Nelligan que par des ricochets lumineux. La blancheur trouve alors sa vraie signification dans le noir. Le poète a inventé « les miroirs de Venise », lustres vacillants où la réalité vit à l'état de reflets. Cette réflexibilité lui est plus chère et plus significative que la paradoxale voix des choses dans l'immédiat. L'illusion mallarméenne ? L'écho de la *République* de Platon ? Peu importent les expériences antérieures ! Prisonnier du temps, Nelligan scrute sa vie en rêveur. Or c'est là précisément la perspective d'une véritable manifestation de la subjectivité au niveau de la parole et de l'écriture. S'inspirant du passé, et suivant les procédés impressionnistes de Rodenbach, Nelligan s'évertue à défaire l'illusion du présent, en s'exilant momentanément dans le monde de l'enfance. Il affectionne décidément ce recul dans le temps, sans pourtant en garder la maîtrise parfaite. La lumière de l'instant en

---

26. *Ténèbres*, p. 197.

Marie-Robertine Barry (pseudonyme Françoise) (1863-1910).
« La sœur d'amitié » d'Emile Nelligan.

devenir contient ainsi sa morne marque d'ombre, celle d'une vie heureuse mais définitivement évanouie.

2. *Le thème de la musique*

Dans l'articulation thématique de l'œuvre de Nelligan, la musique occupe une place privilégiée. Elle est au sommet de tous les arts, au-dessus de la poésie même. Mais ce n'est pas à cause de nombreuses références aux musiciens, tels que Rubinstein, Paderewski, Chopin, Mozart, Liszt, Mendelssohn, Beethoven, Paganini. ni aux instruments, — piano, luth, mandore, harpe, violon, guitare, flûte —, que la musique y atteint son importance. Ces données renvoient soit à l'histoire de la musique en général, soit à certains événements autobiographiques. La profonde signification de la musique chez Nelligan réside dans sa manière même de raisonner, de sentir et de voir. Or le poète perçoit le monde musicalement, il s'écoute musicalement, il s'exprime musicalement. Son clavier poétique admet les voix de tous les instruments dans la mesure où son être peut vibrer dans le monde de la parole. En véritable musicien, il établit des ensembles sonores, des jonctions synesthésiques, des enchaînements de symboles et de rythmes. Sa conscience lui parle en voix blanches et noires; la structure ondulatoire de certaines pièces, plus particulièrement des rondels et aussi des chansons allègres à refrain, recèle une musicalité de valeur. Est-ce par hasard ou instinct que le jeune poète a choisi pour ses premiers maîtres Millevoye, Lamartine et Verlaine ? Il a su par la suite faire siens certains principes de ces symbolistes que Valéry n'a pu identifier autrement qu'en fonction de leur sens de la musique. La formule « ut musica poesis » trouve chez Nelligan une nouvelle application.

Autant que la perception, le mot de Nelligan est marqué par la musique. Chez lui, l'objet sensitivement possédé n'atteint sa vraie signification que dans l'enceinte de « l'âme symphoniste ». Il s'entremêle alors à la couleur de l'état d'âme et change de résonance à la rencontre du terme métaphorique: il y passe par la voie d'intimes correspondances. C'est là le secret d'un impressionnisme qui consiste à ajouter la mélopée de l'être à la mélodieuse résonance de l'objet: c'est « le charme ailé des voix musiciennes [27] ».

Le thème de la musique évolue chez Nelligan entre les voix de l'univers et les voix intimes de l'être. De l'univers, car la géographie est tout imprégnée de « parfum des astrales musiques [28] »; de l'être, parce que « rien ne captive autant que ce particulier charme de la musique où (sa) langueur s'adore [29] ». La harpe romantique qui chez Shakespeare, Hugo et Slowacki parle d'une voix expressive au nom de la nature et de la nation, diffuse chez Nelligan une musique d'infini: « roulent des scombres d'or sous les harpes astrales [30] », vibrent des « sons en relief [31] ». En d'autres endroits, « les harpes astrales » se transforment on « lyres vespérales [32] », et les sons en relief en « un luth empli des musiques du vent [33] » qui chante et frémit dans la blanche conscience de l'enfant rêveur. « Tant de musiques éplorées [34] » s'en vont et reviennent dans le jardin de l'enfance, effleurent les arbres et les arbustes pour tournoyer enfin dans l'âme attristée du jeune poète.

Egaré dans la nature, Nelligan écoute les « musiques du vent ». La voix des feuilles se mêle à la voix de la lumière lunaire alors que les contours des parterres forment des arabesques fantasques:

> De grands parcs ....
> ....
> Chantent dans les soirs bleus la gaîté des parterres,
> Où danse un clair de lune aux pieds d'argent obliques,
> Où le vent de scherzos quasi mélancoliques
> Trouble le rêve lent des oiseaux solitaires [35].

Musique, chant, voix deviennent synonymes. Ces trois termes appartiennent au registre symphonique. La mani-

----

27. *Rêve d'artiste*, p. 65.
28. *Pour Ignace Paderewski*, p. 56.
29. *Mazurka*, p. 95.
30. *Frère Alfus*, p. 259.
31. *Rêve d'une nuit d'hôpital*, p. 137.
32. *Petit hameau*, p. 243.
33. *Mon âme*, p. 42.
34. *Clavier d'antan*, p. 47.
35. *Rythmes du soir*, p. 217.

festation mélodieuse de la présence suppose différentes modulations à l'instar d'un orchestre qui admet les voix des différents instruments.

La voix stridente du violon se fait entendre déjà dans les premiers poèmes de Nelligan, violon verlainien mélancoliquement triste et rêveur qui tremble dans *Rêve fantasque, Sylvio pleure* et *Nuit d'été.* C'est la vague nostalgie voisine du paysage de Watteau: la conscience de Nelligan cherche des prétextes poétiques.

A ses débuts, Nelligan n'est encore qu'un simple ménétrier. Mais son archet glissera avec plus de bonheur dans *Le Violon brisé* et *Violon d'adieux* alors que la corde sentimentale dira aux êtres imaginaires son chagrin sans appel. Dans ce retentissement aigu vibre un aveu discret; à travers la buée des larmes l'âme apparaît, surtout sa lente autant que douloureuse résignation. Le bouleversement affectif s'éteint lentement dans la viole d'amour brisée.

La mère du poète s'associe intimement au monde de la musique. C'est elle qui lui a appris le langage du piano. C'est elle qui l'a conduit aux concerts à Montréal. Dans l'atmosphère du « soir musicien », Madame Nelligan a largement sa part. On peut d'ailleurs suivre facilement à travers les poèmes son profil de pianiste:

> Ma mère descendait à pas doux de sa chambre;
> Et, s'asseyant devant le clavier noir et blanc,
> Les doigts faisaient surgir de l'ivoire tremblant
> La musique mêlée aux lunes de septembre [36].

> Je me souviens encor des nocturnes sans nombre
> Que me jouait ma mère, et je songe, en pleurant,
> A ces soirs d'autrefois passés dans la pénombre
> Quand Liszt se disait triste et Beethoven mourant [37].

C'est l'évidence même que le thème de la musique chez Nelligan plonge ses racines dans le monde de son enfance. L'adoration que le poète voue à sa mère est due à cette heureuse coïncidence: le fils et celle qui lui a donné la

---

36. *Prière du soir,* p. 150.
37. *Vieux piano,* p. 215.

vie se sont reconnus dans le monde de l'art. Quoi de plus marquant alors pour l'âme du jeune poète que la première découverte qui, très bientôt, deviendra la gageure de l'art en plein épanouissement ? Au poète seul appartient le pouvoir d'effectuer en un seul trimètre la liaison entre l'émotion profonde, filiale et le désir ardent de l'artiste: « O toute poésie, ô toute extase, ô Mère [38] ! »

Parmi les instruments qui surgissent dans le développement du thème de la musique, le piano se hausse à la dimension du symbole: le piano de sa mère déjà vieux et relégué, le piano sur lequel Ignace Paderewski fit frissonner l'âme du grand Chopin en avril 1896, le piano pour lequel son ami Louis Dantin afficha toute sa vie un amour quasi obsessionnel. Ce piano s'associe aussi à l'art de Frédéric Chopin. Trois pièces, *Chopin*, *Mazurka* et *Tombeau de Chopin* traduisent à merveille « le grand vol blanc du Cygne des phtisiques ». *Mazurka* en particulier démontre que la musique pour Nelligan n'est pas un objet d'étude ou de description, mais un prétexte pour identifier sa propre voix à l'art du musicien:

> Que j'aime entendre alors, plein de deuil singulier,
> Monter du piano, comme d'une mandore,
> Le rythme somnolent où ma névrose odore
> Son spasme funéraire et cherche à s'oublier [39] !

Ce qui fascine Nelligan lorsqu'il écoute « ce motif en deuil que Chopin a poli sur un rythme inquiet appris des noirs Archanges [40] », c'est l'affinité artistique qui existe entre lui et le pianiste polonais, tous les deux malheureux et souffrants. La musique de Chopin lui sert de miroir sonore: le piano devient le symbole de son anxiété.

Rien d'étonnant si le piano parle un langage qui lui est connu et cher. Son apparence, surtout quand l'instrument devient vieux et muet, suscite la comparaison suivante:

---

38. *Ma mère*, p. 52.
39. *Mazurka*, p. 95.
40. *Ibid.*, p. 95.

O vieux piano d'ébène, image de ma vie,
Comme toi du bonheur ma pauvre âme est ravie,
Il te manque une artiste, il me faut l'Idéal;

Et pourtant là tu dors, ma seule joie au monde,
Qui donc fera renaître, ô détresse profonde,
De ton clavier funèbre un concert triomphal [41].

Il est intéressant de constater comment le thème de la musique chez Nelligan épouse rapidement la tristesse. Sonorité pénétrant les mondes, cette musique est à la fois spasme du cœur et rythme qui traduit son inexprimable nostalgie. Les autres branches de l'art, peinture, sculpture et poésie, illustrées par des figures remarquables, Michel-Ange, Le Corrège, Dante, Baudelaire, Verlaine, Rodenbach, ne sont que la suite de cette grande symphonie des rêves, labyrinthe des vérités intérieures que la musique soutient magistralement en vertu d'un synchronisme visionnaire.

Que dire en somme de ce thème de la musique, commun à un bon nombre de poèmes où Nelligan chante la grandeur de l'art ? Deux modes d'être paraissent lui être propres: l'atmosphère qui vit d'impression, et la mélodie des pulsions intérieures. Au lieu de se laisser bercer allégrement au rythme des nocturnes, Nelligan préfère les « marches funèbres », « les musiques funèbres ». Une fois encore le poète prouve qu'il se cherche dans le monde de l'art, dans celui de la musique en particulier:

Ces musiques vibrent comme un éveil de flots [42].

La vraie musique nelliganienne, c'est la douleur ajoutée au mot: sur le clavier ou sur les cordes frémit l'âme languissante du poète. Le leitmotiv qui s'en dégage réfère au monde de la musique, mais uniquement en vertu d'une nécessité intérieure. La joie et la tristesse se confondent sans cesse. Le poète sait fort bien que même le « clavecin céleste » a des touches en blanc et en noir.

---

41. *Vieux piano,* p. 215.
42. *Musiques funèbres,* p. 171.

3. Le thème de l'amour

La vraie perspective dans laquelle se situent l'amour et la femme chez Nelligan est celle du rêve. Sa biographie nous renseigne mal sur ses expériences amoureuses. A peine savons-nous qu'il s'est épris un jour de Robertine Barry, amie de sa mère, de seize ans plus âgée que lui. Le jeune poète adora aussi Idola Saint-Jean et sa cousine germaine Béatrice Hudon: à la gloire de cette dernière, il composa le poème *Béatrice*. Une idylle bien plus imaginaire que réelle avec Gretchen, une blonde Allemande de son voisinage, — à laquelle il n'osa même pas parler ! —, n'a rien d'une passion effervescente. Vagues souvenirs et délicates allusions, la poésie amoureuse de Nelligan chante surtout la femme imaginaire que l'adolescent entrevit dans ses rêves d'idéal.

A l'origine de cette stylisation amoureuse se trouve l'image de sa mère. Alimenté à cette source, l'amour immaculé devient une hantise. Le rêve d'amour aboutira vite à une expression à la fois ésotérique et céleste: au vitrail de sainte Cécile, « vitrail, ce miroir des Anges aux Vespérées [43] ». Approche hautement musicale que cet idéal lointain et sacré, vague promesse de la beauté sans tache et du bonheur indélébile.

Ce n'est pas sans raison que Nelligan confesse que le poète « aime sans amour [44] ». Et ce sentiment résulte de la rencontre des deux sentiments disjoints. S'il en est bien ainsi, celle qui devrait être aimée n'est qu'une femme créée par l'imagination et refoulée dans le mythe de l'éternel féminin. La distance entre elle et le poète est infranchissable:

> Elle est hautaine et belle, et moi timide et laid:
> Je ne puis l'approcher qu'en des vapeurs de rêve [45].

« Vapeurs de rêve », c'est la meilleure expression que Nelligan a pu trouver pour désigner la distance qui éloigne de lui la femme idéale.

---

43. *Le suicide d'Angel Valdor*, p. 263.
44. *Le poète*, p. 235.
45. *Beauté cruelle*, p. 78.

Emile Nelligan à la Retraite de Saint-Benoît.
(Photo F.-O. Lagacé)

Pour mieux comprendre cette distance brumeuse, il convient de citer en premier lieu *Caprice blanc*, jolie aquarelle où se joignent un vague paysage hivernal et une sensibilité à peine éveillée:

> ...La petite Miss en berline s'en va,
> Dans son vitchoura blanc, une ombre de fourrures,
> Bravant l'intempérie et les âcres froidures,
> Et plus d'un, à la voir cheminer, la rêva.
>
> ....
>
> Elle a passé, tournant sa prunelle câline
> Vers moi. Pour compléter alors l'immaculé
> De ce décor en blanc, bouquet dissimulé,
> Je lui jetai mon cœur au fond de sa berline [46].

Tendre nostalgie amoureuse, ces vers sont pour nous d'importance capitale. Tout y est blanc, l'objet aussi bien que le décor: hiver, givre, roses en glaçons, neige, vitchoura blanc, chevaux blancs, ciel enfariné. On pourrait même dire que la tonalité de ce paysage s'accorde fort bien à la « passivité blanche » du E rimbaldien. L'amour naît quelque part dans les couches les plus profondes de l'inconscient; le désir pulse à peine dans ce paysage aux étranges arabesques: bouquet blanc au fond d'une berline blanche.

Caprice blanc de même que *Placet* sont des rêveries amoureuses poursuivies en plein exotisme. Mais même partant d'un sentiment qui engage une personne bien connue, le poète ne parvient aucunement à renoncer à ses habitudes de rêveur. Voilà comment l'une de ses sœurs, se transforme en fée:

> J'eus vécu l'Idéal. Au paradis des Fées
> Elle était!... Je ne sais, mais elle avait de tels
> Yeux que j'y voyais poindre, aux soirs, de grands castels
> Massifs d'orgueil parmi des parcs et des nymphées...
>
> ....
>
> Ma voix t'appelle, ô sœur, mais ta voix d'or m'élude.
> .... et je sanglote étant
> Comme une cloche vaine en une solitude [47].

---

46. *Caprice blanc*, p. 66.
47. *La Sorella dell'amore*, p. 255.

Insaisissable et aérienne, la femme idéale se substitue au souvenir. L'auteur aime déplacer ses sensations dans un monde de songes. Au fond, ce qu'il vise, c'est l'incarnation de ses aspirations et de ses inquiétudes dans le portrait d'une femme imaginaire.

De la rencontre avec Robertine Barry est né le sonnet *Rêve d'artiste* [48]. Ici la femme devient « sœur bonne et tendre », « sœur angélique », « sœur éternelle », « sœur d'amitié dans le règne de l'Art ». Elle le « couvrira des cieux de sa prunelle , lui « chuchotera d'immaculés conseils avec le charme ailé des voix musiciennes »; le poète fera « fleurir tout un jardin de lys et de soleils dans l'azur d'un poème offert à sa mémoire ». Ce portrait de la « Sorella dell'amore » est tout imprégné d'une subjectivité travestie. C'est que l'image du féminin, inspirée par la brune Robertine Barry, déjà associée à l'idéal lointain et inaccessible, est toute sortie de l'image de sa mère: le complexe d'Oedipe revêt ici une forme qui, dans l'optique de l'éloignement illusoire, fait valoir l'atmosphère du foyer, symbole du bonheur, mais aussi de l'emprisonnement intérieur.

Gérard Bessette a déjà examiné l'amour de Nelligan selon le principe de l'analyse freudienne [49]. Son étude est une approche de valeur. Mais la méthode psychanalytique a cet inconvénient qu'elle applique à une expérience vécue, souvent très intime, un patron d'explications préétablies. On cherche, par exemple, dans les poèmes le « soleil » pour lui donner aussitôt la signification de la passion dévorante, de la fécondité; les oiseaux à becs acérés traduisent la provocante et luxurieuse présence du masculin; les objets creux, comme le berceau, le cercueil et les endroits fermés comme la chapelle et le puits s'associent à la mère. Il n'y a pas de doute que Freud ait tenté de retracer l'archétype de la passion à travers la symbolique du langage. Le chemin mène alors de l'âge mûr à l'enfance, de la conscience du midi à la conscience matutinale, à

---

48. *Rêve d'artiste*, p. 65.
49. Gérard Bessette, *Nelligan et les remous de son subconscient*, dans *Archives des lettres canadiennes; L'Ecole littéraire de Montréal*, Montréal, Fides, 1963, p. 131-149.

l'inconscient si l'on veut. Mais ce qui pour nous est plus important, c'est la singulière intentionnalité du poème. Là, malgré tous les efforts méritoires, la critique freudienne la plus lucide, la plus méticuleuse, ne parvient à suivre le poète qu'à mi-chemin.

Pour cerner le problème, Gérard Bessette a établi une classification d'après laquelle l'œuvre de Nelligan contient cinquante-deux poèmes franchement « féminins » et trente-six pièces où la femme figure à titre de simple allusion. Bien que statistiquement notre relevé soit assez proche de celui de Bessette, le groupement des poèmes que nous proposons diffère du sien. Nous divisons l'ensemble de ces poèmes en trois catégories: femmes aimées, femmes imaginées, et allusions à la femme ou à l'amour. A cela nous ajoutons *Vierge noire*, seul poème vraiment à part qui traduit l'aboutissement du thème de l'amour chez Nelligan [50]. La première catégorie est constituée de cinq

---

50. Voici les poèmes qui appartiennent aux trois catégories successives:

I — FEMMES AIMÉES
1. CYCLE DE LA MÈRE: *Devant mon berceau* (p. 48), *Premiers remords* (p. 51), *Ma mère* (p. 52), *Devant deux portraits de ma mère* (p. 53), *Le Talisman* (p. 54), *Prière du soir* (p. 150-151), *Vieux piano* (p. 215), *Prélude triste* (p. 254).
2. CYCLE DES SOEURS: *Le Regret des joujoux* (p. 49), *Devant le feu* (p. 50), *Le Jardin d'antan* (p. 55), *Ruines* (p. 58), *La Sorella dell'Amore* (p. 255).
3. CYCLE DE FRANÇOISE: *Rêve d'artiste* (p. 65), *Beauté cruelle* (p. 78), *A une Femme détestée* (p. 231).
4. CYCLE DE GRETCHEN: *Five o'clock* (p. 84), *Gretchen la pâle* (p. 87), *Lied fantasque* (p. 88), *Frisson d'hiver* (p. 96-97).
5. CYCLE DE SAINTE CÉCILE: *Amour immaculé* (p. 74), *Chapelle de la morte* (p. 77), *Sainte Cécile* (p. 135), *Billet céleste* (p. 136), *Rêve d'une nuit d'hôpital* (p. 137), *Communion pascale* (p. 223-224).

cycles déterminés par la femme identifiée: mère, sœurs, Françoise, Gretchen et sainte Cécile. Bref, vingt-six poèmes dont huit inspirés par la mère du poète. La deuxième catégorie comprend également cinq cycles: femme sentimentale, musicienne, vierge, muse ou femme inconnue, femme exotique et femme morte, pour un total de cinquante et un poèmes. Dans la troisième et dernière catégorie figurent quinze poèmes où la femme ne paraît qu'allusivement. Il est clair pour nous que c'est la première catégorie qui représente une valeur toute spéciale. Mais la deuxième est également significative: ce qui peut ici dérouter le critique, c'est que le sentiment apparaît transfiguré dans d'étranges contours imaginaires. Personne ne niera pourtant que dans *L'Idiote aux cloches*, par exemple, Nelligan ne se soit associé intimement à la tragédie de la folle. Pareille situation dans le poème éminemment

II — FEMMES IMAGINÉES

1. FEMME SENTIMENTALE: *Caprice blanc* (p. 66), *Placet* (p. 67), *Robin des bois* (p. 68), *Le Mai d'amour* (p. 69-71), *Thème sentimental* (p. 73), *Hiver sentimental* (p. 93), *Soirs d'octobre* (p. 98), *Jardin sentimental* (p. 108-109), *Violon de villanelle* (p. 112), *Bergère* (p. 113), *Les Camélias* (p. 161-162), *Tristesse blanche* (p. 191), *Roses d'octobre* (p. 192), *Sonnet d'or* (p. 220), *Château rural* (p. 248), *Maints soirs* (p. 252).
2. MUSICIENNE: *Le Violon brisé* (p. 90), *Chopin* (p. 92), *Violon d'adieu* (p. 94), *Musique funèbre* (p. 171-172).
3. VIERGE, MUSE, RELIGIEUSE ET AUTRES: *Mon âme* (p. 42), *Diptyque* (p. 143), *Noire-Dame des Neiges* (p. 148-149), *Rêves enclos* (p. 81), *Château en Espagne* (p. 113), *Je sais là-bas* (p. 242), *Béatrice* (p. 214), *Le Berceau de la muse* (p. 62), *Le Vaisseau d'Or* (p. 44), *Clavier d'antan* (p. 47), *Les Communiants* (p. 139), *Les Carmélites* (p. 147), *Bénédictine* (p. 226), *A Georges Rodenbach* (p. 233), *La Passante* (p. 195), *La Chanson de l'ouvrière* (p. 208-209).
4. FEMME EXOTIQUE: *Le Perroquet* (p. 122-124), *Le Tombeau de la Négresse* (p. 127), *Fantaisie créole* (p. 155), *Les Balsamines* (p. 156), *Vieille romanesque* (p. 166).

exotique, *Le tombeau de la Négresse*. Lorsqu'on médite attentivement sur la chute de ce sonnet, « éclore un grand lys noir entre des roses blanches [51] », l'intention de Nelligan s'y résume admirablement: la femme inconnue, lointaine, bizarre même, abandonnée à son sort dans quelque brousse africaine, est aussi sa sœur de douleur, âme-sœur unie au poète par la souffrance.

D'autre part, il serait mal à propos de soutenir, — et Bessette l'a très bien souligné —, que le sentiment amoureux se conçoive tout à fait en dehors du milieu social. Il n'y a aucun doute qu'au centre du thème de l'amour vit chez Nelligan sa mère. Elle est la somme du sentiment maternel et religieux et de toutes les convenances que le milieu social peut y ajouter. Elle est divinisée, poétisée, exaltée. La mère c'est l'origine et la limite: « Je suis tou-

---

5. Femme morte: *La belle morte* (p. 72), *Le Missel de la morte* (p. 75), *Eventail* (p. 159), *Sentier de la morte* (p. 164-165), *Le Puits hanté* (p. 175), *L'Idiote aux Cloches* (p. 176-178), *Le Lac* (p. 183), *Qu'elle est triste* (p. 249-251), *Le suicide d'Angel Valdor* (p. 263-268). Dans les quatre poèmes suivants qu'on trouve dans les autres sections, la femme morte est aussi évoquée: *Le Regret des Joujoux* (p. 49), *Chapelle de la morte* (p. 77), *Le Perroquet* (p. 122-124), *Le Tombeau de la négresse* (p. 127).

III— Allusions à l'amour

Soirs d'automne (p. 119), *Banquet macabre* (p. 125), *Roi du souper* (p. 157), *Le Bœuf spectral* (p. 179), *Sous les Faunes* (p. 196), *La Romance du vin* (p. 198-199), *Rêve fantasque* (p. 203-205), *Silvio pleure* (p. 206-207), *Rythmes du soir* (p. 217), *Sieste ecclésiastique* (p. 222), *Le vent...* (p. 232), *Virgilienne* (p. 247), *Frère Alfus* (p. 256-262), *Le chat fatal* (p. 270-272), *La Terrasse aux spectres* (p. 275).

IV— La Vierge Noire (p. 276).

51. *Tombeau de la négresse*, p. 127.

jours petit pour elle, quoique grand [52] ». Le poète se sent subordonné à sa mère, lié à elle, entravé par elle dans ses désirs. Il essaiera, certes, de devenir lui-même, de s'éloigner fictivement, mais il revient toujours au même état d'âme qui est l'exaltation sans réserve et le sentiment de tacite culpabilité.

Monique Bosco dans *l'Isolement dans le roman canadien-français*, sœur Sainte-Marie Eleuthère dans *La Mère dans le roman canadien-français*, Jean Lemoyne dans *Convergences*, Michel van Schendel dans *L'apprivoisement du vertige ou la rencontre des nouvelles traditions* publié dans *Livres et auteurs canadiens 1965*, Gérard Bessette dans l'article cité, ont déjà insisté sur la nature particulière de l'amour dans le monde canadien-français d'autrefois: conformisme rigide, jansénisme sévère, angoissant complexe de culpabilité, à la fois hantise et refus. L'image maternelle chez Nelligan se ressent de cette conscience collective qui porte la marque d'une dualité étrangement accentuée, confrontation des extrêmes, l'amour refoulé dans la grâce ou l'amour identifié au péché; entre ces points rien qu'un espace vide: la femme devient soit ange, soit démon, être idéal ou femme damnée, blancheur dorée ou vierge noire. Inconsciemment ou non, Nelligan confirme cet état d'âme collectif dans sa poésie amoureuse. La femme rencontrée, transfigurée ou tout simplement imaginée n'est qu'une constante fixation maternelle dans le Bien ou dans le Mal.

Fondamentalement, l'amour de Nelligan appartient donc aux sphères de l'idéal maternel. Le portrait de sa mère, avec tout ce que celle-ci a de sublime dans ses traits et ses gestes, se projette dans les images de Gretchen, de Françoise et de sainte Cécile. Afin de le démontrer, Gérard Bessette a établi une esquisse d'intéressantes comparaisons dont nous nous inspirons, en élargissant à notre gré le registre des citations. Cherchons d'abord l'image originelle de la femme, d'après l'expression des yeux et du visage.

_____

52. *Ma mère*, p. 52.

Mère:
> — Alors que se penchait sur ma vie, en tremblant,
> Ma mère souriante avec l'essaim des anges
> (p. 43).
> — .... le regard qui brille
> Comme un éblouissant miroir vénitien (p. 53).
> — Elle a les yeux couleur de ma vague chimère
> (p. 52).

Françoise:
> — Parfois j'ai le désir d'une sœur bonne et tendre
> D'une sœur angélique au sourire discret (p. 65).
>
> — Les Séraphins ont fait votre ample chevelure
> Et vos regards couleur du charme brun des
> [nuits (p. 231).

Gretchen:
> — Je voudrais cueillir une à une
> Dans tes prunelles clair-de lune
> Les roses de ta Westphalie (p. 88).

Sainte Cécile:
> — Et dans le vitrail, les grands yeux
> M'illuminent ce cimetière
> De doux cierges mystérieux (p. 77).

Nonne:
> — Au séraphique éclat des austères prunelles
> Répondent les flambeaux... (p. 147).

Femme imaginaire:
> — Ton œil de diamant rare
> Eblouissait le règne astral (p. 73).

Le regard, dit Merleau-Ponty, est l'antichambre de l'âme. Sourire, éblouissement, chimère, charme, clair-de-lune, séraphique éclat, diamant rare, voilà les mots qui traduisent chez Nelligan la profondeur et la beauté des yeux féminins. Cette sublimation se fait au profit d'un ésotérisme sacré: l'objet aimé s'angélise dans l'imaginaire et, en même temps, il s'évapore et se dérobe. A l'origine de toutes ces variations est le regard maternel.

L'influence de la mère se manifeste aussi dans les intonations des voix qu'on peut observer chez plusieurs femmes évoquées par Nelligan:

Mère:
> — Elle me baise au front, me parle tendrement,
> D'une voix au son d'or mélancoliquement
> (p. 52).

Françoise:
— (Elle) me chuchotera d'immaculés conseils
Avec le charme ailé des voix musiciennes
(p. 65).
Femme parnassienne:
— Femme, beau marbre de Carrare,
Ta voix me hante en sons chargés
De mystère............................. (p. 73).

Sensation auditive cueillie aux lèvres de la femme réelle ou imaginaire, cette voix ne s'épanouit que dans l'incommunicable. Imprégnée d'intimité, elle ne se sépare jamais de son timbre initial: intonation maternelle qui est pour Nelligan la vraie source de toutes les voix féminines.

Par ailleurs, le rêve amoureux de Nelligan n'est pas dépourvu d'intimité charnelle. S'éveillant lentement et déjà inconsciemment puissant, le désir œuvre dans l'ombre, et Freud aurait pu écrire toute une étude sur la rencontre des motifs de la main et de l'oiseau, associés au thème de l'amour.

Mère:
— Quelquefois sur ma tête elle met ses mains
[pures
Blanches, ainsi que des frissons blancs de
[guipures (p. 52).
Gretchen:
— Prends-moi le front, prends-moi les mains,
Toi mon trésor de rêves maints (p. 96).

Femme imaginaire:
— Et j'ai saisi vos mains, j'ai saisi vos mains
[blanches,
Et je vous ai parlé d'amour comme autrefois
(p. 68).
— Tes doigts entre mes mains, comme un nid
[d'oiseaux blancs (p. 108).

Il faut suivre le développement du sentiment amoureux dans ces citations. C'est d'abord un désir né de la passivité, de la pureté maternelle. Toutes les métaphores s'organisent grâce à la constante présence de la main enchanteresse de Madame Nelligan. Plus que l'œil séraphique, plus que la voix musicienne, la main est le gage de l'étreinte, Saint-Denys Garneau dirait: de la possession charnelle. Chez Nelligan le contact s'établit dans l'imaginaire et il ne sera

Le Vaisseau D'Or

C'était un grand vaisseau taillé dans l'or massif.
Ses mâts touchaient l'azur sur des mers inconnues
La Cyprine d'amour, cheveux épars, chairs nues
S'étalait à sa proue au soleil excessif.

Mais il vint une nuit frapper le grand écueil
Dans l'océan trompeur où chantait la Cyrène
Et le naufrage horrible inclina sa carène
Aux profondeurs du gouffre immuable cercueil!

Ce fut un vaisseau d'or dont les flancs diaphanes
Révélaient des trésors ainsi que les marins profanes
Dégoût Haine et Névrose ont entre eux disputé

Que reste-t-il de lui dans la tempête brève
Qu'est devenu mon cœur navire déserté
Hélas! il a sombré dans l'abîme du rêve!

                        Émile Nelligan. F. W.

4 mars 1912.

Le Vaisseau d'Or *d'Emile Nelligan. Le manuscrit date du 4 mars 1912. Transcrit de mémoire, le texte offre deux variantes.*

jamais total: il est bloqué par la blanche main maternelle. L'oiseau ? Inutile d'insister sur le fait qu'il s'associe à l'amour; il s'assimile fréquemment à l'épanchement du cœur, symbolisant le plus souvent le vol brisé: il suffit de relire *Le Robin des bois,* pour en être convaincu. En face de la femme aimée, et malgré les motifs suggestifs qui préludent à la croissance du désir charnel, Nelligan ne parvient pas à sortir de sa solitude, bien qu'il souhaite le contraire: « de grands souffles vont, lourds et mélancoliques, troubler le rêve blanc des oiseaux solitaires [53] ».

Il est donc certain que la mère du poète est l'objet de sa vénération sans réserve. Sa vision de la femme n'est qu'un prolongement de son image. Selon toute probabilité Françoise (Robertine Barry), amie de sa mère, femme cultivée, est devenue, à un moment donné, l'espoir de son cœur. Mais cette idylle, qui engage bien plus le poète que la femme, se révèle éphémère. Françoise ne consent qu'à l'amitié. Froissé, le poète se vengera à sa manière, en lui adressant le sonnet *A une femme détestée*:

> Combien je vous déteste et combien je vous fuis:
> Vous êtes pourtant belle et très noble d'allure,
>
> ....
>
> Depuis que vous m'avez froissé, jamais depuis,
> N'ai-je pu tempérer cette intime brûlure.
>
> ....
>
> Moi, sans amour jamais qu'un amour d'Art, Madame,
> Et vous, indifférente et qui n'avez pas d'âme,
> Vieillissons tous les deux pour ne jamais se (sic) voir [54].

Fait authentique, mais dont il est difficile de reproduire tous les détails. De vagues témoignages oraux le situent au centre de la vie amoureuse du poète. Et Robertine Barry, qui en était consciente, a bien caché ce texte dans ses tiroirs pour que Louis Dantin n'aille pas l'insérer dans la première édition des *Poésies de Nelligan,* où la « sœur d'amitié », angéliquement présente dans le *Rêve d'artiste,* sera fustigée, sans que ses amis le sachent, dans la *Beauté cruelle.* Elle publie pourtant ce poème dans sa revue,

---

53. *Soirs d'automne,* p. 119.
54. *A une femme détestée,* p. 231.

Journal de Françoise, le 21 mars 1908, jugeant sans doute que la vie du poète est déjà liée au passé ou, peut-être, pour consoler Madame Nelligan endolorie. Le rôle de Madame Sabatier, elle l'a joué en toute dignité malgré le désespoir du jeune poète.

Refusé par Galatée impassible, Nelligan se repliera sur lui-même, tel un Pan dans le monde des pastorales et des bergeries. Le thème de l'amour va même afficher une certaine variété de connotations: bergère, négresse, créole, vieille romanesque, sainte Cécile, femme vivante, femme morte... Dans la trame des relations, la note musicale garde son importance: la femme devient musicienne. La musique promet au sentiment amoureux sa pleine revalorisation dans les sphères de l'art parfait. Ainsi évolue la femme dans *Le Jardin d'antan, Le violon brisé, Chopin, Violon d'adieu* et dans bien d'autres poèmes.

Le plus significatif à ce sujet est le cycle de Gretchen. Les quatre poèmes qui le composent devraient se lire dans l'ordre suivant: *Five o'clock, Lied fantasque, Gretchen la pâle* et *Frisson d'hiver*. Les deux premiers associent la jeune Allemande au monde de la musique. C'est la femme embellie, aristocratiquement située dans quelque salon fantasque où Mozart, Liszt et Haydn revivent « en mol ut crescendo » sur le piano enchanteur. La guitare tremble alors sous les doigts de la blonde Allemande, apparue sur le fond d'un étrange promenoir qui émerge quelque part entre Paris et la Westphalie. Malgré plusieurs marques d'intimité, Gretchen reste une femme distante. Son charme physique (membres charnus et blondeur étrange) se mesure aux données de la peinture: « elle est de la beauté des profils de Rubens ». Ce profil est aussi celui de la « souple Anadyomène », fixé dans le marbre. La tradition romantique l'emporte pourtant sur la tradition parnassienne dans le *Frisson d'hiver*, alors que la femme adorée n'éveille plus qu'un sentiment de désespoir:

> Les becs de gaz sont presque clos:
> Chauffe mon cœur dont les sanglots
> S'épanchent dans ton cœur par flots,
> Gretchen!

> Et qu'au frisson de la veillée,
> S'élance en tendresse affolée
> Vers toi mon âme inconsolée,
>   Gretchen! [55]

Supremum vale se répète à la fin de chaque strophe. Les terza rima débordent de sanglots, de frissons, de névrose. Dans chaque strophe une seule rime scande avec une triple insistance « le deuil hâtif des roses »; le désir d'amour « hivernalement s'harmonise aux vieilles glaces de Venise ». L'âme inconsolée rentre dans son rêve coutumier. D'abord artificiellement épanouie, l'image de la bien-aimée vivra du dédoublement artistique: le poète l'anime par son repliement soudain et sa voix inconsolée.

Les métamorphoses poétiques de Gretchen, surtout le don musical qui lui est prêté, sont psychologiquement justifiées si l'on tient compte de la genèse de cet acte poétique référant à la mère de Nelligan. Celle-ci, belle musicienne, était aussi femme pieuse. Or la fusion de tous ces traits s'effectuera à merveille dans l'image de sainte Cécile. C'est à la patronne des musiciens que le poète malade va en effet adresser l'ultime appel de son cœur. Mais la dame au vitrail ne pourra lui répondre que par la voix muette de la lumière:

> Telle sur le vitrail de mon cœur je t'ai peinte,
> Ma romanesque aimée, ô pâle et blonde Sainte.
> Toi, la seule que j'aime et toujours aimerai;
>
> Mais tu restes muette, impassible, et trop fière,
> Tu te plais à me voir, sombre et désespéré,
> Errer dans mon amour comme en un cimetière! [56]

Dans cette stylisation se retrouvent la beauté de Gretchen et le refus de Françoise. Le dernier vers est particulièrement significatif; la préposition « en » y est plus forte qu'un simple « dans »: ce n'est pas l'errance dans le cimetière, mais c'est déjà la hantise de la tombe.

A lire successivement les cinq poèmes où sainte Cécile apparaît simultanément comme image, lumière et musique,

---

55. *Frisson d'hiver*, p. 96-97.
56. *Amour immaculé*, p. 74.

— *Amour immaculé, Chapelle de la morte, Sainte Cécile, Billet céleste, Rêve d'une nuit d'hôpital* —, on a l'impression que le vitrail mystique donne sur un pays planétaire où le poète se revoit terriblement seul, « plein de spleen nostalgique et de rêves étranges [57] ». Il suffit de relire attentivement les derniers vers de ces poèmes pour constater que la plupart renvoient à l'image du cimetière, à celle du mélancolique clavecin, ou à la nostalgie qui ne se dissipe pas. En effet, le thème de l'amour revient à son point initial: en dehors de la mère l'amour élevé est impossible.

Nombreux sont les poèmes que Nelligan a consacrés à la femme morte, donc à l'amour absent, à jamais éteint: *La belle morte, Le Perroquet, Le tombeau de la négresse, Le Missel de la morte, Chapelle de la morte, Soulier de la morte, Musiques funèbres, Puits hanté, Le Lac, Le suicide d'Angel Valdor.* Cette mort est voulue, indispensable au repliement sur soi-même, une façon poétique de dire que l'amour véritable transcende la vie.

Morte ou vivante, proche ou lointaine, sa femme sera muse ou vierge « nimbée d'astre », comme figée dans sa dignité originelle. Dans le *Clavier d'antan*, le poète parle de sa « muse des choses dorées »; dans *Le Berceau de la muse*, elle apparaît « en robe blanche ». De cette désignation se dégage une signification mythique. « La métaphore de la Muse, explique Heidsieck, témoigne de la transcendance de l'inspiration [58] ». Le terme ne renvoie donc pas uniquement à la simple mythologie scolaire, mais bien plus à l'aspect primitif dans lequel l'objet existe par lui-même sans appartenir à qui que ce soit. La femme réelle se dérobe dans ce trompe-l'œil séculaire que Gœthe appelle l'éternel féminin. Elle se pare de visages multiples, elle devient tour à tour nymphe, bergère, sainte, ange... Et Nelligan admet volontiers ces modulations.

57. *Billet céleste*, p. 136.
58. Heidsieck, cité par Mikel Dufresne, dans *Le poétique*, Paris, PUF, 1963, p. 119.

Dans cette orchestration d'images, « la vierge » joue un rôle à part. La muse ancienne cède sa place, dans la religion catholique, à la Sainte Vierge, ce que Nelligan a d'ailleurs fort bien souligné, à force d'images et d'allusions, dans le *Diptyque* et surtout dans *Notre-Dame-des-Neiges*. Les poèmes *Qu'elle est triste*, *Fra Angelico* et *La Sorella dell'Amore* accueillent l'image de la vierge sans accentuer cependant sa présence. Le meilleur exemple en est le sonnet *Château en Espagne*, saturé d'une sensualité à peine cachée et dont le dernier tercet s'achève sur cette exclamation significative:

> Et mes rêves altiers fondent comme des cierges
> Devant cette Ilion éternelle aux cent murs,
> La ville de l'Amour imprenable des Vierges! [59]

Vierge-mur, vierge-Ilion: voilà une symbolique qui infléchit le thème vers un intérieur fermé. La sensualité reprend ses traits figés. Mur et Ilion séparent et enferment. Le sentiment tourne en un cercle légendaire où le philtre de l'amour universel synthétise le désir charnel et le mirage d'idéal [60].

De nombreux souvenirs et des liaisons imaginaires se croisent dans l'œuvre de Nelligan et conduisent vers cette conclusion: l'amour pour lui est impossible. A peine exprimé, le désir se révèle la source d'inexplicables remords; chaque contemplation amoureuse aboutit à la négation, sinon à la condamnation morale de l'amour. Prenons à titre d'exemple *Gretchen la pâle*. Nelligan construit l'image de la bien-aimée avec toutes les ressources possibles de l'art et de la mythologie. Enjolivé de savantes comparaisons, le portrait grandit dans la perspective de l'Eden. Soudainement, juste au moment où la femme devient le mystérieux chef-d'œuvre de sa vision, vierge, ange, souple Anadyomène, elle se déclare hostile et inaccessible, ce que nous lisons dans cette chute du sonnet:

> .... Ah! gare à ce démon!
> C'est le Paros qui tue avec ses bras de marbre! [61]

59. *Châteaux en Espagne*, p. 76.
60. *La Sorella dell'amore*, p. 255.
61. *Gretchen la pâle*, p. 87.

Ce jeu poétique se répète dans bien des poèmes, surtout dans *Violon brisé*, *Rêve d'une nuit d'hôpital*, *Béatrice*, *A une femme détestée*, *Prélude triste*, *La Sorella dell'Amore*, *Le suicide d'Angel Valdor*. On dirait que Nelligan craint l'image charnelle, et si celle-ci transparaît dans la strophe, il en fera vite un indice maléfique. On sent un malaise qui ne peut s'expliquer que par la pensée taboue. Il n'y a pas de transfert entre l'âme et le corps. L'amour nelliganien est toujours une demi-absence.

Ce manque d'équilibre, reconnaissons-en la raison: Nelligan veut être lui-même sans pouvoir se détacher de l'emprise de sa mère. Et ce n'est pas dans le sentiment filial que vit le mal, mais dans l'étrange complexe de culpabilité dont le premier s'imprègne. En vertu de ce conformisme, l'amour charnel est un mal, et Madame Nelligan, que le poète imagine un jour agonisante, offre à son fils un talisman avec cette remontrance:

> Que ceci chasse au loin les funestes amours,
> Comme un lampion d'or, gardien d'une chapelle.

Or le fils répond:

> Ah! Sois tranquille en les ténèbres du cercueil!
> Ce talisman sacré de ma jeunesse en deuil
> Préservera ton fils des bras de la Luxure [62].

Et cette promesse se continue dans le cycle de sainte Cécile:

> Je ne veux plus pécher, je ne veux plus jouir [63].

Alors, dans la rencontre des deux réalités que le poète croit incompatibles, — l'amour-idéal qui est chaste et élevé, et l'amour-désir qui est défendu et pécheur —, se joue confusément la pathétique tragédie de son étouffement. La femme exquisement appelée et entrevue retourne dans l'espace interpersonnel. Le poète se sent terriblement solitaire: « J'ai la douceur, dit-il, j'ai la tristesse et je suis seul [64] ».

---

62. *Le Talisman*, p. 54.
63. *Rêve d'une nuit d'hôpital*, p. 137.
64. *Prélude triste*, p. 254.

Cette solitude, on la voit encore mieux par certains biais de l'expression poétique. Le thème s'engage dans plusieurs pièces sur un ton d'intimité; on dirait un colloque sentimental entre l'homme et la femme et, brusquement, on s'aperçoit que c'est le poète qui parle à son âme, à son cœur, à sa douleur. Le plus typique dans cette catégorie est le sonnet *Sous les Faunes*. Alors que le lecteur croit vraiment à une promenade sentimentale de deux êtres enlacés, soudainement, le deuxième tercet ramène tout à la vraie signification:

> Et nos cœurs s'emplissaient toujours de vague émoi
> Quand, devant l'œil pierreux des funèbres statues,
> Nous nous serrions, hagards, ma Douleur morne et
> [moi [65].

Telle est en résumé l'histoire d'amour que Nelligan a poétiquement racontée. Ce thème de la femme ne manque ni d'images ni de rythme. Encore convient-il de répéter qu'il se nourrit principalement à la même source: la mère. Dans toutes les avancées, elle se retrouve toujours belle et austère, grande et effacée, souriante et pensive. A côté d'elle, il n'y a que des images dérivées. Le poète lui-même reconnaît le malaise que lui inspire un amour interdit. Pour résoudre l'énigme de l'instant inachevé, il ira jusqu'à l'ultime limite du noir. Cet amour, Nelligan le sait, porte en soi la malédiction de sa vie. Ainsi, la mère souriante, la bonne Françoise, la blonde Gretchen, la mystique sainte Cécile, tous les types de femmes donneront naissance à la *Vierge noire*:

> Elle a les yeux pareils à d'étranges flambeaux
> Et ses cheveux d'or faux sur ses maigres épaules,
> ....
> Mais quand je lui parlai, le regard noir d'envie,
> Elle me dit: tes bras ont souillé mes chemins.
> Certes tu la connais, on l'appelle la Vie! [66]

L'art de la transposition vaut ici par l'étrange dédoublement de l'être. Dans la diversité des motifs et des rappels, le thème de l'amour est une nouvelle ouverture sur l'inté-

---

65. *Sous les faunes*, p. 196.
66. *Vierge noire*, p. 276.

rieur, sur la vie. La femme lui paraît inaccessible. Avec
Paul Eluard nous dirions que Nelligan à entrevu sa « chevelure d'oranges dans le vide du monde [67] ». Et le poète
malheureux se reconnaîtrait aujourd'hui facilement dans
ce joli quatrain de Supervielle, qui clôt le poème *A l'homme:*

> Te voilà petit dieu, cent mille fois mortel,
> Tel que te fit ta mère au jour de ta naissance,
> Cherchant encore un sein pour quelque renaissance,
> Tu serres dans tes poings crispés le fond du ciel.

4. *Le thème de la mort*

Parler de la mort chez Nelligan signifie distinguer
d'abord entre la sensation et le concept. Il y a la mort
entrevue, désignée comme moment précis, point de passage,
abstraction qui se confirme par la disparition d'un être. Il
y a aussi la mort-déchirure, non pas le moment mais la
durée, non pas le terme mais la trajectoire de la souffrance.
« Au soleil du concept se substituera la nuit de l'existence,
dit Jean-Pierre Richard à propos d'Yves Bonnefoy, à
l'ordre trop lisse et trop bien articulé de l'abstraction
succéderont le désordre, la fugitivité, le déchirement hagard
mais fulgurant des intuitions. Dans les architectures éternelles le temps se glissera, introduisant en elles, comme par
une fissure, les vérités concrètes de l'instant, de la souffrance ou de la nostalgie [68] ». Or, pour Nelligan le fait
essentiel, c'est que la notion de la mort, lentement murie,
portée en lui, vécue jour et nuit au carrefour des saisons,
l'emporte sur le concept. Elle est pour lui la somme des
sensations recueillies au champ de la vie, aussi simples et
banales soient-elles. Il y a dans cette image-mosaïque une
double lumière: celle qui éclaire le monde et celle qui
illumine l'être. Double postulation et aussi double effet !
La mort chantée par Nelligan est une mort progressive,
insaisissable glissement des choses dans le temps, du temps

    67. Paul Eluard, *Choix de poèmes*, Paris, Gallimard, 1951,
Capitale de la douleur, p. 71.
    68. Jean-Pierre Richard, *Onze études sur la poésie moderne*,
Paris, Editions du Seuil, 1964, p. 209.

dans le vide. Le mystère de mourir à la fois ébranle et enchante son esprit. Parfois, quand le poète frissonne dans le noir, sa voix prend une inflexion tellement nostalgique qu'on dirait la voix d'un amoureux agonisant.

L'élucidation du thème de la mort se fera donc à la rencontre des frissons, des soupirs, des cris et du noir. On remarquera alors, entre *Rêve fantasque*, douce fantaisie dictée par Verlaine, et *Je veux m'éluder*, sombre prélude de l'égarement, inspiré par Rollinat, une progression très nette du sentiment de la mort. On pourrait y distinguer à la rigueur quatre étapes: tristesse, inquiétude, angoisse et hallucination. La mort comme telle sera révélée par les objets qui la symbolisent: crêpe, cercueil, cadavre, corbillard, tombeau, cimetière.

Au sein de la nature, Nelligan se révèle, comme Millevoye et Verlaine, un poète à jamais affligé. « Les meurt-de-faim et les artistes n'ont pour tout bien que leurs cœurs tristes [69] », constate le jeune poète. La tristesse est l'accompagnement ordinaire de ses motifs rêveurs, de ses rythmes assourdis. Enfant, il se sent déjà névrosé et vieilli: « toujours je garde en moi la tristesse profonde [70] », « car je veux, aux accords d'étranges clavecins, me noyer dans la paix d'une existence triste [71] ». D'où vient cette détermination maintes fois répétée de souscrire à une vérité dont le poète serait incapable d'expliquer l'origine ? Elle vient de la simple et anodine constatation que tant de choses passent, tant de choses tombent en ruine. Ces signes d'ailleurs surgissent partout. L'espace en est plein. Le monde végétal, — arbres, feuilles, fleurs —, chante la mort à tout instant. La lumière même passe par l'agonie des couchants, par la mort des nuits. Louis-Joseph de La Durantaye a très bien remarqué qu'il ne s'agit pas là d'une idée de la mort, mais d'un sentiment, ce que Nelligan appelait « la fuite de l'enfance, la jeunesse en larmes, le regret de vivre, l'effroi de mourir, le frisson sinistre des

69. *Mon sabot de Noël*, p. 194.
70. *Le Regret des joujoux*, p. 49.
71. *Musiques funèbres*, p. 171.

Emile Nelligan âgé de 42 ans dans le jardin de la résidence d'été du juge Gonzalve Désaulniers, à Ahuntsic.

choses [72] ». Bref, la tristesse de Nelligan résulte, en premier lieu, de la forte prise de conscience de l'éternelle fuite du temps à travers les choses.

Il y a trois poèmes-clefs dans lesquels s'incarne la tristesse nelliganienne: *Sérénade triste*, *Tristesse blanche*, et *Prélude triste*. Les titres parlent déjà par eux-mêmes. Le premier poème repose sur l'unique motif des feuilles tombantes: écho verlainien, il est essentiellement musical ! Musical au point qu'il n'apparaît qu'une seule fois dans le premier distique, pour devenir rythme et mouvement dans le reste du poème. Les feuilles n'ont ici ni couleur ni voix: elles sont les simples porteuses des bonheurs défunts, des joies abattues, des larmes d'or. Leur mouvement associé à celui du cœur, elles se perdent rapidement dans le courant lyrique:

> Vous avez chu dans l'aube au sillon des chemins:
> Vous pleurez de mes yeux, vous tombez de mes mains [73].

A son tour, *Tristesse blanche* nous rappelle l'atmosphère de certains poèmes de Rodenbach. C'est une vague rêverie amoureuse, déjà parvenue « aux plages de Thulé, à l'île des Mensonges ». Nous y notons de très jolies images, telle celle-ci:

> Nous nous reposerons des intimes désastres,
> Dans des rythmes de flûte, à la valse des astres [74].

Elan, songe expansif, miroitement du bonheur, pourquoi ce poème porte-t-il le titre de *Tristesse blanche* ? C'est que le monde des apparences n'est qu'un monde fuyant, fragile, incertain. « Veux-tu mourir, dis-moi ? » C'est la question finale posée à la Cydalise imaginaire comme pour rappeler ce mot de Gérard de Nerval: « nos amoureuses ? — Elles sont au tombeau » ! Symbole de la feuille et colloque sentimental, les deux poèmes, *Sérénade triste* et *Tris-*

---

72. Louis-Joseph de la Durantaye, *Les images et les procédés d'Emile Nelligan*, dans *Les Annales*, janvier 1923, p. 6.
73. *Sérénade triste*, p. 190.
74. *Tristesse blanche*, p. 191.

tesse blanche annoncent ainsi le *Prélude triste:* après le vertige blanc, le vertige noir:

> J'aurai surgi mal mort dans un vertige fou
> Pour murmurer tout bas des musiques aux Anges
> Pour après m'en aller puis mourir dans mon trou [75].

La mort apparaît dans la chute des feuilles; la folie montre ses griffes en plein vertige. La nostalgie romantique n'est déjà plus une tristesse: elle est une obsédante inquiétude.

Inquiétude devant les choses qui passent, inquiétude de l'être qui s'écoute, le sentiment d'incertitude et de délabrement prend peu à peu des proportions métaphysiques. Il ne s'agit plus d'une rêverie qui s'inspire uniquement de fleurs fanées, mais d'un « sinistre frisson des choses [76] », Le regard va du berceau au cercueil, du cercueil au berceau. Hanté par les souvenirs, le poète imagine « un grand bal solennel tournant dans le mystère, où ses yeux ont cru voir danser les parents morts [77] ». Ce cauchemar qui laisse augurer la naissance des visions noires se laisse expliquer par le fait que Nelligan contemple maintenant non seulement la vie qui passe, mais la vie qui disparaît, s'anéantit.

Il est hanté plus particulièrement par le spectacle des funérailles, effrayé par le crêpe et le corbillard. La mort d'autrui — c'est en partie sa propre mort. Partout dans le monde, dit-il, les « fêtes des anges noirs » se répètent. Si la vie n'a pas de sens, la mort en a peut-être un. C'est pourquoi le monde de Nelligan, le vrai monde, est celui de la mort. Remarquons dans son œuvre un nombre considérable d'agonies: moine inconnu, bénédictine solitaire, vieil artiste, négresse inconnue, sculpteur sur marbre, Le Corrège, Verlaine, Rodenbach apparaissent au terme de leur vie. Bien plus ! La mère du poète et sa sœur doivent subir l'expiation imaginaire. Même dans les pièces de facture parnassienne, — *Les Balsamines mortes, Les Camélias, Eventail, Le Saxe de famille, Missel de la morte* —,

---

75. *Prélude triste*, p. 254.
76. *Soirs d'hiver*, p. 82.
77. *Le Salon*, p. 89.

les fleurs, les objets et l'atmosphère portent la marque de l'agonie. La mort chez Nelligan s'inscrit dans le mouvement universel: elle ne se définit pas, elle se révèle dans le monde que le poète contemple ou imagine.

L'inquiétude inspirée par l'être disparu prend, par moments, la dimension d'une inquiétude morale. La notion de la pureté, celle aussi de la foi amènent les confrontations du bien et du mal, de la grâce et du péché. Si, dans le poème *Mon âme,* Nelligan fait valoir son âme douce et mystiquement tendre, en revanche, dans *Confession nocturne*, il s'écrie:

> Prêtre, je suis hanté, c'est la nuit dans la ville,
> Mon âme est le donjon des mortels péchés noirs,
> Il pleut une tristesse horrible aux promenoirs
> Et personne ne vient de la plèbe servile [78].

Il est même tenté par le spectre du suicide. Et si le poète ne sombre du coup dans le désespoir total, c'est qu'au fond de son être vit encore une âme religieuse:

> .... J'entendais en moi des marteaux convulsifs
> Renfoncer les clous noirs des intimes Calvaires [79].

Remarquons comment le sentiment colle à la métaphore, comment, à travers la métaphore, l'âme communique avec le mystère de la Rédemption. Et pourtant ! Ce n'est pas l'effervescence du sentiment qui détermine la plénitude de la forme: c'est la forme achevée qui dote cette image d'une signification fulgurante, vraie et autonome.

C'est dans les méditations sur la mort que le vrai Nelligan se retrouve et s'identifie. Son angoisse est la réponse à une sollicitation de l'intérieur. Le noir habite tous les recoins de son être:

> J'écoute en moi des voix funèbres
> Clamer transcendantalement.
> ....
> Tel un troupeau spectral de zèbres
> Mon rêve rôde étrangement [80].

---

78. *Confession nocturne*, p. 126.
79. *Le Christ en croix*, p. 189.
80. *Marches funèbres*, p. 174.

Cris et vertiges, la confusion nocturne emprunte ici la voix symphoniste. Le mouvement de chaque strophe se projette en quelque sorte dans l'espace énigmatique de l'adverbe circonstanciel. L'émotion gagne ainsi en retentissement: la crainte individuelle semble vouloir revivre sur l'écran de l'infini.

A partir de janvier 1899, la poésie de Nelligan laisse clairement présager le naufrage futur du poète: le spasme de vivre est de plus en plus fréquent et douloureux, la folie apparaît à l'instar des yeux enflammés dans une nuit qui l'ankylose. Il vit alors des moments de délire et il tente des efforts désespérés afin d'échapper au destin:

> Oui, je voudrais me tromper jusque
> En des ouragans de délires.

> Pitié! quels monstrueux vampires
> Vous [sic] suçant mon cœur qui s'offusque !
> O je veux être fou ne fût-ce que
> Pour marquer mes Détresses pires [81] !

« Hilarités féroces » en face d'un monstrueux cadavre ! Dépassé le stade des effluves mélancoliques et celui de la parnassienne redondance ! Le désespoir s'incarne en vampires, spectres, chats énigmatiques, corbeaux voraces... Les fantômes de Poe et de Rollinat cohabitent dans l'âme de Nelligan. Contre les parois nocturnes d'un monde névrosé s'appuient « le lustre de fer mourant » et le « funèbre écran »; partout dans les ténèbres le claquement des dents et les soliloques étranges du spectre [82] d'allure squelettique.

Il est intéressant de noter que le bizarre tropisme nocturne affecte même la versification de Nelligan, la rime en particulier et, à un point tel, qu'on dirait que la sonorité habituelle du verbe accentué doit partager les affres de la nuit. Trois fois, quatre fois, la même rime sonne dans la strophe:

> Or, j'ai la vision d'ombres sanguinolentes
> Et de chevaux fougueux piaffants,

---

81. *Je veux m'éluder*, p. 253.
82. Voir: *Le Spectre*, p. 273-274 et *Le Chat fatal*, p. 270-272.

Georges Rodenbach (1855-1898), poète et romancier belge, auteur de la Jeunesse blanche *(1886), de* Bruges la morte *(1892) et des* Vies encloses *(1896), livres de chevet de Nelligan.* (Portrait par Levy Dhumer, Musée du Luxembourg)

Et c'est comme des cris de gueux, hoquets d'enfants
Râles d'expirations lentes [83].

On assassina l'pauvre idiot,
On l'écrasa sous un chariot,
Et puis l'chien après l'idiot.

On leur fit un grand, grand trou là.
Dies irae, dies illa.
A genoux devant ce trou-là [84] !

Ce pouvoir évocateur de la rime identique dans le dernier
exemple saute aux yeux. Rime masculine, deux fois encli-
tique, donc encore plus détachée de l'ensemble rythmique,
elle s'appuie sur la voyelle « a », produisant l'effet d'une
tombe ouverte. Certes, on nous dira que dans le premier
quatrain les rimes féminines et les rimes masculines
alternent bien selon la règle établie. Soit ! Mais l'élément
qui les soutient admirablement est la même nasale « en ».
C'est là aussi que la vision incohérente s'accomplit dans son
unité d'expression musicale. Dans cette rime obsédante
sourd l'obsession de la tombe à laquelle l'esprit et l'âme
sont irrévocablement soumis.

Ainsi se dévoile peu à peu l'énigme de la mort dans
l'œuvre de Nelligan, immanente à sa vie et transcendante
à la condition humaine. Ce sentiment s'intensifie graduelle-
ment, devenant tristesse, inquiétude, angoisse, hallucination.
Ces termes proposent la notion globale de la tombe et
celle de la mort dans son devenir. Ils servent aussi de
dénominateur au paysage, à l'objet rencontré, aux
personnes évoquées... A vrai dire, la mort ne se laisse
contempler qu'à distance. Quand elle s'accomplit en nous,
le verbe poétique est déjà inutile: il se dissipe d'ailleurs
dans des milliards d'expériences qui constituent la vraie
épaisseur du Silence éternel.

* * *

L'analyse littéraire doit procéder toujours en vertu d'une
certaine schématisation. Ainsi, il serait faux de s'imaginer

83. *Vision*, p. 228.
84. *Le Fou*, p. 229.

que les quatre thèmes étudiés constituent dans l'œuvre de Nelligan des catégories distinctes qui correspondent exactement à des états d'âme séparément engendrés et vécus. C'est plutôt le contraire: chez Nelligan, la thématique révèle un enchevêtrement bien particulier de sentiments, un jeu libre de motifs. Combien de fois dans les poèmes inspirés par la mère, les thèmes de l'enfance, de l'amour et de la musique se rencontrent et se confondent ! La femme idéale vit autant dans l'image de la mère que dans le cycle de sainte Cécile: par le fait même l'amour et la musique s'unissent au niveau d'une beauté suprême, inaccessible, comme c'est le cas dans l'*Hérodiade* de Mallarmé. Il est donc entendu que les thèmes se précisent avec toute la liberté propre à la conscience artistique, conscience opérant dans le présent et le passé, soumise aux modulations et à la hantise des synthèses lyriques. Encore faut-il noter que le thème nelliganien se greffe sur la grande thématique universelle: les thèmes primitifs, comme le sont ceux du temps, de l'amour et de la mort, accueillent une sensibilité enfiévrée qui s'y singularise dans une série de motifs inspirés par les objets environnants et le monde chthonien. La subjectivité complexe de Nelligan se projette ainsi dans des vérités primitives et communie avec les archétypes de l'émotion.

IV. UNIVERS DE LA PAROLE [1]

Dire que la poésie existe, c'est dire tout simplement qu'une subjectivité a trouvé sa forme propre dans le verbal. D'aucuns prétendent que la forme est l'achèvement de l'acte poétique; nous sommes enclins à soutenir qu'elle conditionne déjà la naissance du poème. L'état d'âme de n'importe quelle tonalité appartient à la phase prépoématique: le vrai poème naît au moment où un mode parvient à actualiser verbalement le vécu. La forme poétique est donc matrice d'idées et de sentiments, facteur unifiant dont dépendent la cohérence et l'équilibre d'un univers incarné dans les mots [2]. Même la potentialité sémantique du langage suit et doit intimement respecter les exigences de la forme. Il y aura forcément des écarts entre le langage ordinaire et celui du poète. Mais c'est justement dans ces écarts que se manifestent l'ampleur et l'originalité d'un univers poétique.

---

1. Ce chapitre a été préparé en collaboration avec M. Pierre van Rutten, professeur de français à l'Université d'Ottawa. Le texte lui doit en particulier les passages traitant de la réflexibilité du vocabulaire et de la syntaxe, considérations appuyées sur un examen rigoureux de dix-huit poèmes de Nelligan. Nous le remercions de nous avoir permis d'utiliser ses notes encore inédites.
2. Voir à ce sujet deux excellents articles, publiés dans *Reflections on Art*, New York, Oxford University Press, 1961: Günter Müller, *Morphological Poetics*, p. 202-233, et Gisèle Brelet, *Music and Silence*, p. 103-121.

La forme veut dire plus que l'aspect formel qu'on se plaît si fréquemment à lui substituer. Un recueil de poésies a ses parties composantes, un rondel sa facture spéciale, un alexandrin ses agencements de syllabes toniques et atones, une image sa place distinctive parmi les figures de style. Mais bien plus qu'à toutes ces règles établies par la poétique, la forme obéit d'abord et surtout à une loi interne qui dépend du pouvoir créateur du poète. Il se produit alors un dédoublement du sujet dans le langage et du langage dans le sujet. C'est grâce à ce dynamisme que la forme se révèle vraiment unifiante, intimement liée à l'authentique présence artistique.

Cerner la forme des poèmes de Nelligan dans sa dimension d'intériorité n'est pas une chose facile. Mais cette étude est prometteuse, sinon nécessaire pour prouver que le mystère de sa technique est au fond le mystère de son moi. Déjà en 1923, un critique français y soupçonnait un champ de significatives découvertes: « Il faudrait scruter un jour cet abîme de rêve et cette puissance de technique, écrit La Durantaye; analyser ces vers dans leur émotion profonde et leur choix de moyens; démontrer cette beauté d'art naissante. » [3] Par ses idées, cette invitation précise déjà notre problème. Aussi voudrions-nous indiquer que la question s'étend sur la structure du recueil aussi bien que sur celle des poèmes, sur la versification autant que sur les caractéristiques du langage.

A la base de la forme poétique de Nelligan est la musique. Non pas seulement la musique des ensembles verbaux de nature phonétique, mais surtout et avant tout la musique qui est l'orchestration de l'œuvre dans sa totalité, dans son expressivité de mouvement et d'images, dans ses infinies modulations de voix, de timbres et d'accents. La part essentielle que la musique apporte au verbe, ce sont les voix inachevées et les voix du silence. Voix inachevées, car le lyrisme ne parvient jamais à se manifester totalement dans le langage: c'est là l'espace

---

3. Louis-Joseph de la Durantaye, *Les images et les procédés d'Emile Nelligan*, dans *Les Annales*, 2 (1923), p. 5.

propice à la suggestion; voix du silence, car le mot poétique brise la durée et, en même temps, il s'ouvre mystérieusement sur l'infini: c'est là la jonction du vécu et du verbe que Jean-Pierre Richard appelle « la transfusion des temps », et Anne Hébert, « la solitude rompue ». Ainsi conçu, le silence bien plus que l'information sémantique, imprime à l'œuvre la marque de sa transcendance: le champ poétique se définit en fonction de l'intentionnalité que la forme révèle.

Charles Baudelaire organisait l'ensemble des *Fleurs du mal* à la manière d'un architecte attentif: il voyait dans chaque partie du livre une étape expressive de sa vie. Quant à Nelligan, il concevait son recueil en musicien. L'édition de 1903, qui est à la base de quatre éditions successives, nous renseigne mal sur les intentions du poète. Nous ne savons pas quelle est la part de Louis Dantin dans l'ordonnance finale des poèmes. L'avait-il effectuée selon un plan préparé par Nelligan ? Ou, peut-être, animé des meilleures intentions, avait-il voulu imprimer un relief singulier à l'œuvre disparate de son jeune ami ? Nous l'ignorons. Mais ce que nous savons, c'est que Nelligan a préparé, en février 1899, un plan provisoire pour son futur recueil; Luc Lacourcière a eu cette heureuse idée de le reproduire dans les *Notes et variantes* de la cinquième édition des poésies de Nelligan. Bien que ce document soit incomplet, bien qu'il révèle les hésitations de Nelligan sur l'ordre, le groupement et les titres de ses poèmes, ce plan autographe est éminemment révélateur: il nous renseigne sur le mouvement initial du recueil en gestation.

Or, ce mouvement est fondamentalement musical. Nelligan imagine son recueil comme un récital: il l'intitule d'ailleurs *Motifs du Récital des Anges*. Le livre aurait dû avoir une ouverture (*Prélude aux Anges*) et un motif initial (*Clavecin Céleste*) exécuté en trois mouvements: *L'Organiste du Paradis, Nocturne séraphique* et *Rêverie d'Hôpital*. Comme titres de parties successives, l'auteur propose: *Villa d'Enfance, Petite chapelle, Vesprées mystiques (ou Choses mystiques), Intermezzo, Lied* et *Les Pieds sur les Chenêts*. On peut supposer que l'intention première du poète fut de réunir les cycles poétiques dans un ensemble harmonique. Tout porte aussi à croire que la place des trois premiers poèmes du volume *Clair de lune intellectuel, Mon âme* et *Le Vaisseau d'Or*, groupés par Dantin sous le titre fictif, *L'âme du poète*, ne correspond aucunement à l'intention de Nelligan. Les pièces que celui-ci a voulu placer au seuil du recueil sont les suivantes: *Sainte Cécile*, publiée dans *La Patrie* du 8 avril 1899, sous le titre d'*Organiste des Anges, Nocturne*, paru dans *Le Samedi* du 1er août 1896, sous le pseudonyme d'Emile Kovar, et *Rêve d'une nuit d'hôpital*. Quant au poème-ouverture, c'est *Billet céleste*, ainsi appelé par Dantin, mais publié, sous le titre de *Récital des Anges* dans *Le Monde illustré* du 21 avril 1900. Situés au seuil du recueil, ces poèmes permettraient au lecteur de saisir d'emblée l'envol « azuré » du rêve de Nelligan. Et notre plaisir serait comblé au moment où, arrivés au terme du livre, nous y trouverions l'abîme avec *La Romance du vin* et *Le Vaisseau d'Or*. Ce mouvement vertical du recueil se retrouve dans celui des parties respectives du volume. La construction de chaque cycle permet de saisir, à un degré divers, le souci de grouper les poèmes en ligne de verticalité: *Villa d'Enfance*, entre *Soirs de prière* et *La Ruine*, *Petite Chapelle* entre *Chapelle d'Antan* et *Chapelle Ruinée*. Ce mouvement visionnaire qui unit le présent et le passé, le ciel et le gouffre reflète fidèlement la hantise de la conscience nelliganienne.

La composition des poèmes témoigne aussi du don musical de Nelligan. Il est intéressant de rappeler que sur les cent soixante-huit pièces du recueil, quatre-vingt-quatorze possèdent la forme fixe, soixante-treize sont de facture strophique (distique, tercet, quatrain, quintil, sizain, septain et huitain) et il n'y a qu'un seul poème à rimes plates. La préférence de l'auteur pour le sonnet (soixante-seize) et le rondel (dix-sept) est plus qu'évidente. Baudelaire a déjà dit, dans sa lettre à Fraisse du 19 février 1860, que le sonnet donne « une idée plus profonde de l'infini que le panorama vu du haut d'une montagne ». Nelligan semble partager cette opinion. Son sonnet possède une souplesse interne remarquable et offre, au point de

Salons Allemands

Je me figure encore ces grands salons muets
Pleins de velours usés et d'aïeules pensives
De lustres vacillants éblouis des convives
Qui tournaient dans la valse et les vieux
Je repense aux portraits d'autrefois menuets
Sur le haut des foyers et qui semblaient suspendus
Dans leur langue de mort; vivants, pourquoi tant rêves nous dire
Et les beaux vers de Goethe aux soirs d'or entendus
J'évoque les tableaux flamands, et les artistes
Qui songeaient en fumant dans leurs chaises
Et dont l'œil se portait vers l'âtre hospitalier
Mais surtout et je pleure et ne sais que résoudre
Car voici que j'entends chanter sur l'escalier
Le vieux ténor hongrois aux longs cheveux en foudre

Émil Nélighan

*Un autographe de Nelligan. Le texte date de septembre 1897
et figure dans L'Album-souvenir de Louis-Joseph Béliveau.*

vue formel, vingt-quatre combinaisons différentes. Le poète sait ramener admirablement le thème à sa vraie signification dans les tercets du sonnet: *Les Angéliques, Vieux Piano, Amour immaculé, Châteaux en Espagne, Les Corbeaux, La Passante* constituent d'excellents exemples. Et pour saisir le relief du sonnet nelliganien, il faut se rapporter à sa chute où le poète fixe d'habitude la signification de la pièce dans une lumineuse évocation, dans un rythme suggestif:

> Nous déjeunions d'aurore et nous soupions d'étoiles...

> S'écroulent nos bonheurs comme des murs de briques !

> Errer dans mon amour comme en un cimetière !

A méditer sur ces trois vers qui closent respectivement *Rêve de Watteau, Ruines* et *Amour immaculé,* on constate que chacun résume, en quelques traits marquants, un aspect du lyrisme nelliganien. Dans le premier cas, un vaste horizon, fixé dans une métaphore originale, fait deviner l'âme de l'écolier, pleine « de blanc naguère et de jours sans courroux », poésie détendue et enjouée. En revanche, le deuxième vers traduit la tristesse qui découle du thème obsessionnel de la fuite du temps. Enfin, le dernier exemple intensifie le désespoir d'un amour brisé. Bref, trois chutes de sonnet qui éclairent comme des phares la trajectoire d'un sentiment frustré.

Le rondel de Nelligan révèle huit combinaisons différentes. Qu'il soit narratif ou lyrique, de teinte parnassienne ou romantique, le rondel est soumis à la redondance thématique: écrit sur deux rimes, il se clôt par son début et se répète à mi-chemin par la réapparition du deuxième vers à la fin du second quatrain. L'accent lyrique tombe en général sur le troisième tercet comme le démontre fort bien le rondel intitulé *Potiche.* Ce retour agréablement musical, mais foncièrement obsessionnel, — relisons *Clair de lune intellectuel, Placet, Sainte Cécile* —, révèle, malgré le désir d'y échapper, la fixité psychologique du poète. Dans ce bercement illusoire, l'épanouissement du songe devient impossible. Seule une faible modulation est permise dans l'enceinte de treize vers, sans que le thème puisse se libérer du centre de sa gravité. Est-ce l'indice d'une sensibilité meurtrie qui cherche refuge dans une musicalité d'avance destinée au repliement ? Cette forme a été choisie instinctivement, car elle correspond à la voix intime qui la commande. Pareille remarque concerne la chanson, que Nelligan pratique de temps en temps, — *Idiote aux cloches*, *Mai d'amour*, *Violon de la villanelle* —, pour jouir des retours prosodiques, et de la mélodie persistante du refrain.

L'unité musicale existe aussi en dehors du poème à forme fixe. Voyons comment dans *Le Soulier de la Mort* le mouvement des quatrains tend progressivement vers le repliement: l'objet deviendra le centre du moi. Il suffit de dégager de l'ensemble poétique quatre vers, — le premier et le dernier, le huitième et le dix-septième —, pour pouvoir saisir le rythme de la concentration lyrique:

> Ce frêle soulier gris et or,
> ....
> Soulier du souvenir ... Ave ! —
> ....
> Et maintenant, cœur plein de noir,
> ....
> Mon âme est un soulier percé [4] !

Le centre d'intérêt réside dans l'identification finale. Simple et banal au début, l'objet devient signe poétique dans la dernière strophe. La cohérence du poème tient à la signification symbolique qui se réalise progressivement. Il s'établit ici un échange entre la durée intime et les moyens de la poétisation. Originaux et expressifs, ceux-ci s'organisent autour du substantif « soulier » qui annonce, dès la deuxième strophe, le thème de l'irrévocable refoulement. Mot simple mais lyriquement accentué, il engendre images, rythmes et sonorités: il détermine les altitudes poétiques, les moments forts du poème.

En d'autres pièces, ce repli de l'âme transparaît dans la grande concentration du vocabulaire ou dans la répé-

---

4. *Le Soulier de la Morte*, p. 164-165.

tition significative de la même rime. Ainsi, dans *Les Vieilles rues*, treize des quarante-huit mots forts tournent autour de l'idée de vieillesse ou de mort. Pareillement, dans *Le Corbillard*, tous les substantifs propres au paysage automnal et pluvieux soutiennent admirablement la vision macabre: cimetière, mort, trépas, cadavre, crêpes, cercueil, feuilles mortes... Les poèmes en terza rima, surtout ceux qui traduisent l'obsession, — *Jardin sentimental, Le Perroquet, Frisson d'hiver, Le Fou* —, sont marqués par le triple martèlement de la même rime dans l'ensemble prosodique de chaque strophe. Dans la *Tarentelle d'automne*, le tercet hétérométrique ne connaît d'autres rimes que la rime féminine, évasive et feutrée. C'est avec insistance qu'elle invite au dépassement. Mais l'appel est brisé dans le troisième vers, plus court que les deux autres, refrain modulé sur le motif de la feuille morte. Pour renforcer l'impression que laisse au cœur « la funéraire voix », Nelligan n'hésite pas à introduire à deux reprises cette strophe-clé:

> Avec quelles rageuses prestesses
> Court la bise de nos tristesses,
>   De mes tristesses [5].

L'accent lyrique de la rime se renforce dans le refrain et résonne même dans le jeu des pronoms doublement possessifs. La rime féminine sans alternance est fréquemment employée par Nelligan: *Rêves enclos, La Belle Morte, Soirs d'automne, Chapelle dans les Bois, Fantaisie créole, Je veux m'éluder* en fournissent de bons exemples. Et il convient de préciser que l'apparente monotonie qui s'ensuit, exprime un double sentiment: la persistance d'un état d'âme triste et le désir de la libération. Voltaire a fort bien remarqué que le « e » muet de la rime féminine donne au mètre son caractère inachevé, un mystérieux prolongement de signification à moitié voilée.

Mais la simple distinction entre la rime féminine et la rime masculine, et celle qui met en cause leur richesse ou leur pauvreté, ne pourraient épuiser le problème. La tona-

---

5. *Tarentelle d'automne*, p. 104-105.

lité de la rime nelliganienne a son noyau dans l'élément d'appui. Ainsi, dans *Les Carmélites*, rondel construit exclusivement sur les rimes féminines, la consonne « l » est la constante entre les voyelles « e » et « a »: solennelles, dalles, sandales, elles, prunelles, modales, éternelles, scandales, dédales, fraternelles... Cette consonne liquide produit partout dans le poème un effet d'écho car le rondel est la description musicale de la marche des moniales. Dans *Clavier d'antan* la consonne de base est le « s », admirablement choisie d'ailleurs pour accentuer dans la rime la tristesse persistante. La véritable rime de la première et de la quatrième strophes de *Chapelle dans les bois* est due à la nasale « an ».

Cette tendance à l'accentuation d'une note de base se manifeste aussi à l'intérieur des mètres. Dans le sonnet *Pour Ignace Paderewski*, comme pour évoquer « le grand vol blanc du Cygne des phtisiques », le « s » semble être la note dominante; il se fait valoir surtout dans la chute du sonnet: « Tu fisses frisonner l'âme du grand Chopin. »[6] Ailleurs, c'est le « r », associé aux cris d'admiration ou de révolte, qui détermine la sonorité d'un ensemble métrique. Ecoutons l'âme devant le paysage automnal:

Ecoute ! ô ce grand soir, empourpré de colères,
Qui, galopant, vainqueur des batailles solaires,
Arbore l'Etendard triomphal des Octobres[7] !

Et voici le quatrain qui traduit le désespoir du poète incompris:

C'est le règne du rire amer et de la rage
De se savoir poète et l'objet du mépris,
De se savoir un cœur et de n'être compris,
Que par le clair de lune et les grands soirs d'orage[8] !

Ces vers sont plus que des réussites phonétiques. Ce sont, pourrait-on dire, des onomatopées, non pas celles qui imitent les voix de la nature, mais des onomatopées lyriques, nourries à même la pulsion de la conscience.

---

6. *Pour Ignace Paderewski*, p. 86.
7. *Soirs d'Octobre*, p. 98.
8. *La Romance du vin*, p. 199.

En bien d'autres endroits, l'état d'âme glisse originalement sur les rimes intérieures. Rien de plus révélateur à ce sujet que ces deux strophes de *La Romance du vin*:

> Tout se mêle en un vif éclat de gaîté verte.
> O le beau soir de mai ! Tous les oiseaux en chœur,
> Ainsi que les espoirs naguères à mon cœur,
> Modulent leur prélude à ma croisée ouverte.
>
> O le beau soir de mai ! le joyeux soir de mai !
> Un orgue au loin éclate en froides mélopées;
> Et les rayons, ainsi que de pourpres épées
> Percent le cœur du jour qui se meurt parfumé.

Remarquons comment les notes de base, — les « r » et les « l » —, se transforment en rimes intérieures. Un procédé identique a été employé par Verlaine dans *Il pleure dans mon cœur*. Aussi intensivement exploité chez Nelligan, ce procédé, outre qu'il témoigne d'une grande sensibilité à l'aspect mélodique de la langue, se place également dans la ligne psychologique de la fixation. Les éléments phoniques sont ici fonctionnels, car ils projettent dans un langage poétique un polyvalent mirage d'être: être artistiquement signifie pour Nelligan se dédoubler et se replier sans cesse dans le monde du langage.

L'univers syntaxique de Nelligan correspond à la même tendance, c'est-à-dire celle de repli sur soi devant un monde qui est son propre miroir. Aussi pourrions-nous examiner le nombre considérable des expressions réfléchies explicites ou camouflées. Dans *Mazurka*, Nelligan est déjà loin de Chopin: il se claustre dans son propre rêve. En apparence, deux mondes surgissent et se confondent. Le poète se dédouble et le « tu » est en réalité un « je ». Détachons quelques expressions: « ma langueur s'adore », « ma névrose odore », « son spasme... cherche à s'oublier », « toute joie en ta tristesse sombre », « si mon âme se perd ». L'ordre des citations respecte ici l'ordre du poème: il montre comment s'effectue le dédoublement artistique, la descente au gouffre du moi.

Une autre fois la descente au gouffre est bien l'auto-destruction d'un être dédoublé, une variante du mythe d'Orphée. Dans *Musiques funèbres* l'âme devient victime

Le pianiste Ignace Paderewski (1864-1941), à vingt ans.
(Photo A. Schnell, Lausanne)

de sa propre réflexibilité: « je me sens tenaillé », « j'aime à m'inoculer », « mon âme se donne toute à suivre », « je veux me noyer », « voir se dérouler mes ennuis », « ces calmes aubades où je me pends ». L'expression réfléchie est celle où le sujet est l'objet par lequel l'être qui fuit l'autre manifeste son refus du monde. Ce repli sur lui-même de Nelligan qui ne se veut qu'âme, rêve ou pensée à la « couleur de lunes d'or lointaines », s'exprime à la fois par l'aspect concret de l'univers clos et la tonalité immatérielle du monde de l'évasion. La technique particulière que Nelligan affectionne, c'est le trompe-l'œil syntaxique consistant dans la projection du « je » dans le « nous », le « vous », le « tu ». A ce sujet il faut lire *Rondel à ma pipe, Devant le feu, Le Jardin d'antan, La Fuite de l'enfance, la Tarentelle d'automne* et surtout *Dans l'allée.*

Si la forme de la poésie de Nelligan est syntaxiquement réflexive, si le déroulement du thème de la solitude transfigure la sémantique des mots en les faisant graviter autour du MOI, cette même forme tient aussi à la multiplicité des rythmes. Nelligan a essayé pratiquement toutes les longueurs rythmiques à partir du vers de cinq syllabes. Il les ajuste à ses élans affectifs et les scande d'après ses inquiétudes. Il connaît le secret des ondulations ïambiques et le charme de l'anapeste. L'alternance des toniques et des atones produit dans les hémistiches des secousses ou des allongements prosodiques qui se multiplient à l'infini. Et parmi toutes sortes de mètres, c'est encore le vieil alexandrin qui prédomine. Par son mouvement et par son accentuation, l'alexandrin de Nelligan parvient à se plier aux caprices de son rêve. Ici Nelligan ressemble à Baudelaire qui a su infuser dans la forme classique de son vers toute l'effervescence de la poésie moderne. « Le vers, dit Mallarmé, qui de plusieurs vocables refait un mot total, neuf, étranger à la langue et comme incantatoire, achève cet isolement de la parole. » [9]

Par ses intonations, le vers de Nelligan est le produit des interrogations et d'infinis modes exclamatifs. Dans

9. Stéphane Mallarmé, *Oeuvres complètes*, Paris, Bibliothèque de la Pléiade, 1945, *Cris de vers*, p. 368.

des moments de haute tension lyrique, il devient déchirure, spasme, râle... Alors, le rythme, en tant que fonction du mouvement intérieur, traduit dans l'agencement des syllabes l'intentionnalité du poète souffrant. Dans *Je veux m'éluder,* l'accentuation repose sur quatre exclamations dont trois dans la deuxième strophe:

Pitié ! quels monstrueux vampires
Vous suçant [sic] mon cœur qui s'offusque !
O je veux être fou ne fût-ce que
Pour marquer mes Détresses pires [10] !

Dans beaucoup de cas cette tonalité exige un relâchement de prosodie: elle cesse d'être la douce coulée narrative, devenant un mouvement haché, saccadé, rompu. En effet, Nelligan excelle dans l'emploi du rejet, du contre-rejet et surtout dans ce que Marouzeau appelle le « faux rejet [11] ». Ces trois formes abondent chez Nelligan et cela est important. On devine que les allonges prosodiques et les mouvements saccadés des vers se sont faits spontanément, en vertu des exigences créatrices, sans calcul ni recours aux règles. Ainsi conçue, la poésie nelliganienne offre de vraies trouvailles:

_____

10. *Je veux m'éluder,* p. 253. Voir d'autres exemples: *Un Poète,* p. 235; *Communion pascale,* p. 223; *La romance du Vin,* p. 198-199; *Le Saxe de famille,* p. 163; *La Réponse du Crucifix,* p. 146.
11. Le rejet fait déborder la phrase syntaxique au-delà du mètre et y pose un accent très fort. Quand la phrase est terminée avant que le mètre le soit alors qu'une nouvelle phrase commence avec la fin du mètre pour se dérouler dans le mètre suivant, nous avons le contre-rejet. L'ensemble rythmique en dehors de ces deux règles impliquant les unions prosodiques des deux ou de plusieurs vers est appelé un faux rejet. Les exemples suivants illustrent ces trois procédés:
Lucifer rôde et va raillant mes désespoirs
Très fous ! ... Le suicide aiguise ses coupoirs !
　　　　　　　　　(*Confession nocturne,* p. 126.)
Ecoutez, écoutez, ô ma pauvre âme ! Il pleure
Tout au loin dans la brume ! Une cloche ! Des sons
Gémissent sous le noir des nocturnes frissons.
　　　　　　　　(*La Cloche dans la brume,* p. 188.)
Quand les pastours, aux soirs des crépuscules roux
Mènent leurs grands boucs noirs aux râles d'or des flûtes.
(*Rêve de Watteau,* p. 103.)

> Tout est fermé. C'est nuit. Silence... Le chien jappe.
> Je me couche. Pourtant le Songe à mon cœur frappe.
>
> Oui, c'est délicieux, cela, d'être ainsi libre
> Et de vivre en berger presque... Un souvenir vibre
>
> En moi ... Là-bas, au temps de l'enfance, ma vie
> Coulait ainsi, loin des sentiers, blanche et ravie [12] !

Le mouvement rythmique s'accélère ici progressivement: c'est la pensée qui se dégage du présent et devient souvenir. Il faut donc que le vers ait le même élan et la même souplesse. Les verbes, — jappe, couche, frappe, vibre et coulait —, servent de ressorts au mouvement. Le présent qui domine d'abord, cède la place à l'imparfait dans le dernier distique; en même temps le souvenir se précise, le souvenir d'une affection avec laquelle le temps présent s'était confondu.

Il reste que *Les Motifs du Récital des Anges* ont été conçus avec des mots,

> Avec des mots à l'échelle du vent
> Avec des mots où notre amour se fonde
> Avec des mots comme un soleil levant
> Avec des mots simples comme le monde [13].

Simples comme le monde oui, mais aussi complexes que le cœur ! Claudel ajouterait: « ce sont les mots de tous les jours, et ce ne sont point les mêmes » ! Car la structure du poème exige que la sémantique change et qu'une vigueur nouvelle redresse les vocables. Le mot poétique récuse le déterminisme sociologique: il opère en vertu d'une contiguïté de sentiments, il crée les espaces qui rapprochent le présent des sources lointaines du langage, il fait valoir l'intentionnalité de l'être dans des ambiguïtés apparentes. Le sens du mot poétique est immanent à la signification du poème auquel il appartient.

L'index du vocabulaire de Nelligan n'étant pas encore établi, il est difficile de délimiter avec certitude les

---

12. *Presque berger*, p. 106-107.
13. Louis Aragon, *La Diane française* suivi de *En étrange pays dans mon pays lui-même*, Paris, Seghers, 1946, *Je ne connais pas cet homme*, p. 19.

écarts dont parle Valéry et les mots-clefs, de déceler les obsessions, de préciser l'étendue et les traits spécifiques. Cependant, une évaluation par échantillonnage permet déjà d'entrevoir la moyenne des espèces qui par rapport à l'époque, ne révèle pas d'écarts très significatifs [14]. La poésie lyrique de cette époque se caractérise par l'abondance des adjectifs et Nelligan semble avoir partagé cette inclination. On remarque chez lui une légère augmentation des noms qui manifestent l'importance des objets et des essences dans le monde de la solitude, propre au poète. Nelligan affectionne à outrance le nom au pluriel comme s'il voulait amplifier ses états d'âme, les communiquer au monde entier. Sur mille mots étudiés il y a quarante et un adverbes, principalement des adverbes de temps et de lieu. L'absence de caractérisation du verbe, jointe à une certaine insistance sur les circonstances plus ou moins évanescentes, révèle un aspect typique de la pensée de Nelligan. Parmi les adverbes de lieu et de temps, la plupart ne précisent pas, mais font d'une réalité concrète, décrite, une réalité psychologique vague et mal située. On rencontre des « parfois », « à jamais, » « loin, » « très tard, » « quelquefois, » « là-bas, » qui éloignent et transforment le concret en rêve.

L'œuvre de Nelligan compte pourtant une vingtaine d'adverbes de manière en -ent, que Verlaine affectionna à cause de leur musicalité: tristement, mystiquement, tendrement, mélancoliquement, élégiaquement, transcendantalement, âprement, triomphalement, harmonieusement, fantasquement, angéliquement, sublimement, colloquialement, pieusement, dantesquement... *Marches funèbres*, *Le tombeau de Baudelaire* possèdent les rimes adverbiales. Mis ensemble, ces adverbes traduisent l'obsession musicale dans des notions d'immatérialité.

---

14. Le pourcentage des espèces pour la poésie lyrique de 1860 à 1920, établi par Guiraud est le suivant: noms: 46, adjectifs: 21, verbes: 24, adverbes: 9. L'analyse des dix-huit poèmes de Nelligan, effectuée par M. Van Rutten, permet d'établir le pourcentage suivant: noms: 53, adjectifs: 21, verbes: 22, adverbes: 4.

Les mots qui assurent le mieux la projection du moi double, ce sont les adjectifs. Le blanc et le noir constituent en quelque sorte l'écran à la fois coloré et sonore du langage de Nelligan. Leur fréquence est surprenante. Mais encore plus remarquable est leur miroitement symbolique: les significations se précisent dans le monde des contrastes, celui du berceau et du cercueil, du jour et de la nuit, de la joie et du désespoir, de l'enfance et de la mort. Ce qui est important, c'est de scruter la nature des champs poétiques créés par ces deux adjectifs qui impliquent aussi les dérivés, verbes, noms et adverbes, toutes ces notions similaires suffisamment accentuées dans l'ensemble des images. La liste de ces jonctions serait longue. Il suffit pourtant de parcourir attentivement *Le Jardin de l'Enfance* pour voir comment le blanc s'identifie à l'enfance, à la douceur, à la pureté. C'est la mère qui met sur la tête du poète « ses mains pures, blanches, ainsi que des frissons blancs de guipures [15] ». Ce sont ses « sœurs en robes blanches [16] », c'est sa « muse en robe blanche [17] ». Bref, le monde qui surgit autour de cette épithète imprime une signification nouvelle au langage des poèmes. Le blanc est pour Nelligan ce qu'est le brouillard pour le paysage de Rodenbach: prisme d'éloignement et de souvenir.

Mais déjà dans *Le Jardin de l'Enfance*, le noir apparaît dans des expressions fortes: « massifs torses noirs [18] », « noirs maçons du Deuil [19] », la mégère Détresse et « ses noirs souliers [20] ». Il y a aussi le noir travesti: funèbre, ténèbres, linceul, tous ces synonymes qui agissent dans l'organisation visionnaire des poèmes à la manière d'euphémismes. C'est évidemment dans *Eaux-fortes funéraires*, *Vêpres tragiques* et *Tristia* que le noir devient obsédant. Le puits noir s'associe à la mort, au crime. Les corbeaux, « ces démons des nuits », parce qu'ils en portent la couleur et la voix, deviennent le symbole de la destruction. Entre

---

15. *Ma mère*, p. 52.
16. *Le Jardin d'antan*, p. 55.
17. *Le Berceau de la Muse*, p. 62.
18. *La Fuite de l'Enfance*, p. 57.
19. *Ruines*, p. 58.
20. *Le Berceau de la Muse*, p. 62.

le mot et l'esprit s'interpose ainsi le prisme de l'image. L'adjectif noir a dans le contexte de sa sémantique la même vertu de créer les analogies que le blanc produit dans celui qui lui est propre.

La tonalité du poème de Nelligan doit beaucoup à la réflexibilité de l'âme dans les adjectifs. Ceux-ci caractérisent soit le monde de la tendresse et de doux souvenirs, soit celui de la cruauté et de la névrose. Dans *Devant le feu*, poème construit à partir du souvenir, nous avons: frais, rosée, joyeux, heureux, et... noir. Dans *Soirs hypocondriaques* les adjectifs fusent dans une tonalité tout à fait différente: blêmi, tragiques, frémi, léthargiques, noirs, affolé, triste, affreux, maudit. On peut suivre facilement, dans la succession de ces adjectifs, la progression de l'élément obsessionnel.

La vibration du moi est due, dans la plupart des cas, au verbe. Celui-ci revêt volontiers, chez Nelligan le mode indicatif présent. La voix du poète y trouve le prolongement de son devenir; le monde y éclate dans sa présence triste:

> Des gels norvégiens *métallisent* les glèbes [21].

> ... Le soir qui s'en vient, du sang de ses reflets
> *Empourpre* la splendeur des dalles monastiques [22].

> Et que les lustres léthargiques
> *Plaquent* leurs rayons sur mon deuil
> Avec les sons noirs des musiques [23].

>   ... Des sons
> *Gémissent* sous le noir des nocturnes frissons [24].

> *J'aperçois* défiler, dans un album de flamme,
> Ma jeunesse qui va, comme un soldat passant,
> Au champ noir de la vie, arme au poing, toute en sang [25] !

Aux verbes d'état, Nelligan préfère les verbes d'action. Ainsi, le monde et surtout le moi subissent l'action effec-

21. *Hiver sentimental*, p. 93.
22. *Moines en défilades*, p. 216.
23. *Soirs hypocondriaques*, p. 277.
24. *La Cloche dans la brume*, p. 188.
25. *Devant le feu*, p. 50.

tive du verbe. Il en résulte un mouvement de vers synchronisé avec les inquiétudes personnelles du poète.

Si l'on examine l'ensemble du vocabulaire de Nelligan, on y verra se dessiner la loi des contrastes en ligne de verticalité. Dès le début du recueil, le vocabulaire est écartelé entre « des vagues profondeurs » et « des lunes d'or lointaines ». Parmi les verbes, on trouve souvent « abaisser » et « monter », parmi les noms: « terre », et « ciel ». Cette dimension se retrouve tout au long de l'œuvre. *Rêves enclos* débute par « enfermons-nous » et se termine par « faire surgir ». *Mazurka* est aussi un poème tout tendu entre « le gouffre intellectuel » et la montée de la musique. Même dans le portrait de Dante, Nelligan saisit surtout cette dimension verticale:

Sur les monts éternels où tu touchas la cime

Sublime Alighieri, gardien des cimetières [26].

Disposés sur cet axe, les mots ne sont qu'une manifestation de la projection d'un moi double, correspondances musicales de l'idéal et des frustrations, deux étages du même univers.

Dans ce langage orchestré, Nelligan se perçoit comme une conscience, une conscience meurtrie. Son vocabulaire est celui de la poésie d'une solitude de refus. L'ampleur de la présence du moi, sous forme d'éléments possessifs est tout à fait remarquable. Non seulement la première personne abonde, mais la seconde signifie « je », et le compagnon (voir: *Chapelle dans les bois, Sous les Faunes, Hiver sentimental, Soirs d'octobre*) est un autre moi. La description n'est que la rencontre du moi et de l'espace; la narration, celle du moi et du temps. La manière préférée de communiquer la réalité est chez Nelligan le monologue lyrique. Ainsi, l'importance des pronoms d'une part et de l'environnement d'autre part manifeste cet Ego face à l'hostilité du monde saisi par l'hypertrophie d'une subjectivité.

---

26. *Sur un portrait de Dante*, p. 221.

Sous l'influence des Parnassiens, le poète pratique pourtant, de temps en temps, le poème descriptif. Le cycle *Pastels et porcelaines*, composé de douze poèmes, est dans la lignée de l'art « objectif » de Heredia. Le mot rare et sonore, la rime riche et bien frappée y soutiennent les paysages exotiques et les objets mis en relief dans un intérieur peu commun. Mais là encore, si l'on examine de près la musicalité de *Fantaisie créole* et d'*Eventail*, le symbolisme du *Paysage fauve*, les identifications nettement perceptibles à la fin des poèmes *Le Soulier de la morte*, *Vieille armoire* et *Potiche*, on doit conclure que le procédé de Nelligan n'est pas celui du parnassien authentique. S'il aime, par exemple, dans les deux premiers quatrains de *Potiche*, les agencements des noms et des adjectifs dans la tradition des *Trophées*, — vase d'Egypte, riche ciselure, sphinx bleus, lions ambrés, reins cambrés, flambantes nefs d'or, eau d'argent, ciel marbré —, il revient volontiers, vers la fin de ce rondel, à son vocabulaire réflexif: « mon âme est un [sic] potiche », « ma vie est un vase », « j'en souffre en moi ». Dans le sonnet *Château en Espagne* s'effectue à merveille la fusion du rêve romantique et du rêve parnassien. Voyons comment dans les deux quatrains de ce poème, les mots « conquistador » et « condor », si chers à Heredia et à Leconte de Lisle, orientent tout le mouvement visionnaire de Nelligan, au cœur duquel se cache d'ailleurs un fort désir d'amour:

> Je rêve de marcher comme un conquistador,
> Haussant mon labarum triomphal de victoire,
> Plein de fierté farouche et de valeur notoire,
> Vers des assauts de ville aux tours de bronze et d'or.
>
> Comme un royal oiseau, vautour, aigle ou condor,
> Je rêve de planer au divin territoire,
> De brûler au soleil mes deux ailes de gloire
> A vouloir dérober le céleste Trésor [27].

Tout ce coloris parnassien n'est pourtant qu'un rêve, hantise d'une extraordinaire évasion dans la plénitude de la force, de la beauté et de l'amour. Les tercets de ce sonnet apportent une négation brutale du rêve parnassien,

---

27. *Châteaux en Espagne*, p. 76.

un anéantissement de l'arabesque décorative en vertu de l'exigence du moi: « je ne suis hospodar, ni grand oiseau de proie », « et mes rêves altiers fondent comme des cierges ».

Par conséquent, le langage de Nelligan ne se révèle original et significatif que dans sa dimension d'intériorité. Dans les trois poèmes qui ouvrent le recueil, tout s'organise autour de ces trois expressions-clefs: « ma pensée », « mon âme », « mon cœur ». Dans *Premier remords*, tous les verbes sont à la première personne, sauf deux dont les sujets sont déterminés par des adjectifs possessifs: « mes boucles » et « ma mère »: au total on trouve douze « je » ou « moi ». A ce point, *Rêve d'artiste* est encore plus caractéristique. Presque tous les verbes y sont à la première personne; ceux qui sont à la troisième ont un pronom à la première personne comme complément d'objet: « m'enseignera », « me saura », « me couvrira », « me prendra », « me chuchotera ». Sémantiquement, ces verbes évoquent une action maternelle. La désignation des adjectifs possessifs est déjà très forte dans *Soirs d'automne* et *Silvio pleure*.

Mais autour de ce « je » central le monde se construit et se divise. D'une part on rencontre la musique, la nature, la joie, tout ce qui s'associe au bonheur, c'est-à-dire ce qui est remémoré dans le passé ou espéré dans l'avenir, et de l'autre, les hommes, l'hostilité, le réel et le présent. Ceci pose tout le problème de l'organisation et de la caractérisation de l'environnement. La relation de l'Ego et du monde extérieur est mise en relief par l'abondance des compléments circonstanciels. Déjà au début de l'œuvre on relève les expressions: « du fond », « d'un golfe », « en un jardin », « dans les soirs doux ». Plus de douze compléments circonstanciels dans un poème de treize vers comme *Clair de lune intellectuel*. Il en est de même, dans *Premier remords*, *Devant mon berceau*, *Soirs d'automne*, *Chapelle des bois* et dans bien d'autres encore.

Il reste à savoir comment ce vocabulaire réflexif s'organise en images. Dans son essence, l'image poétique est une entité psycho-verbale où l'âme prend possession du mot. Gérard Bessette a étudié statistiquement l'aspect formel des images chez Nelligan démontrant que celui-ci affectionne la métaphore [28]. Mais le problème ne se résout pas à la détermination de la forme de l'image: il faudra scruter surtout sa dynamique.

> Une image, dit Jean Wahl, traverse l'esprit, laisse une trace brillante et un soupir. Sur cette trace, les mots s'avancent, rythmés. Parfois même, il n'y a pas d'image, mais seulement ce soupir de joie ou de peine, d'espoir ou de désespoir, et des débauches de mots et de rythmes. La poésie naît de cet appel qu'un sens supérieur adresse à une parole supérieure, brisant le rythme ordinaire auquel elle en substitue un autre, extraordinaire [29].

En d'autres mots, l'image poétique possède sa propre raison d'être qui se précise par l'amplification de la sémantique: elle vit du sens subjectif mis en relief par la rencontre inhabituelle des mots.

Le monde des métaphores et des comparaisons chez Nelligan doit son existence à deux procédés: la concrétisation et la synesthésie. La concrétisation permet à l'abstraction d'épouser des formes du réel, de s'approcher d'une idée ou d'un sentiment; la synesthésie établit les rapports entre le mot et les différentes sortes de sensations. De ces deux manières de voir sont nées d'ailleurs les correspondances baudelairiennes:

---

28. Dans sa thèse de maîtrise, présentée en 1946 à l'Université de Montréal, Gérard Bessette a étudié l'aspect formel des tropes de Nelligan. Suivant la quatrième édition des *Poésies* de Nelligan, à l'aide de classements et de comparaisons, l'auteur a démontré que sur 605 tropes, 353, donc plus que la moitié, sont des métaphores; le reste comprend les comparaisons (92), les assimilations (79), les symboles (19) et quelques images inclassables.

29. Jean Wahl, *Sur la poésie*, dans *Gants du Ciel*, sept. 1944, p. 51. Il convient de rappeler aussi le mot célèbre de Jules Supervielle à propos de l'image poétique, qu'on lit dans ses *Naissances*, suivi de *En songeant à un art poétique*: « L'image est la lanterne magique qui éclaire les poètes dans l'obscurité. Elle est aussi la surface éclairée lorsqu'il s'approche de ce centre mystérieux où bat le cœur même de la poésie. »

Comme de longs échos qui de loin se confondent
Dans une ténébreuse et profonde unité,
Vaste comme la nuit et comme la clarté,
Les parfums, les couleurs et les sons se répondent [30].

Certes, le célèbre sonnet de Baudelaire contient implicitement, sous une forme poétique raffinée, les éléments
fondamentaux de sa doctrine, à savoir: unité de la création,
matérialité et spiritualité de la créature, manifestations du
monde matériel et du monde spirituel unies en symboles
par une force d'universelle analogie, enfin, correspondances
entre les divers ordres de sensations. Nelligan est beaucoup
plus modeste: il est de la famille de Lamartine, de Rodenbach et de Verlaine, il veut tout simplement communiquer
aux mots sa mélodieuse « voyance ».

La tendance personnifiante chez Nelligan tient à la
source même de son lyrisme qui s'y communique. C'est
d'abord la nature qui surgit agrandie: « la nuit qui murmure » [31], « la Nuit qui priait sous les chênes [32] », « les
lys, la tulipe et les roses pleurent les souvenirs [33] », « le
Soir sème l'amour, et les Rogations s'agenouillent avec
le Songe [34] ». L'enfance de Nelligan vit dans ces images
et le verbe agit au centre de l'évocation poétique.

Le deuxième groupe d'images de cette catégorie est
constitué de personnifications appuyées sur le sentiment
vague, parfois gai, mais le plus souvent mélancolique:
« nous avons les Regrets pour mystérieux hôtes [35] », « les
Bonheurs dresseront leur front mélancolique [36] », « s'en
vont les Remords taciturnes [37] », « dans les soirs a chanté
la gaieté des parterres [38] », « la gaieté qui rougeoie [39] ».
Ici encore le verbe détermine la transfiguration métapho-

30. Charles Baudelaire, *Fleurs du Mal, Correspondances.*
31. *Nuit d'été*, p. 102.
32. *Jardin sentimental*, p. 109.
33. *Soirs d'automne*, p. 119.
34. *Le Soir*, p. 229.
35. *Fuite de l'Enfance*, p. 57.
36. *Dans l'allée*, p. 61.
37. *Les Vieilles rues*, p. 117.
38. *Soirs d'automne*, p. 119.
39. *Le mai d'amour*, p. 70.

rique en vertu d'une analogie qui réfère la signification de l'image à la réalité lyrique.

Il existe, enfin, une troisième sorte d'images personnifiantes marquées d'une idée morale: « La Tendresse passe aux bras de la brise [40] », « des bras de la Luxure [41] », « les outils des noirs maçons du Deuil [42] », « le suicide aiguise ses coupoirs [43] ». Nous reconnaissons facilement, dans ces mots sémantiquement redressés, les préoccupations intimes de Nelligan. Ces intentions se traduisent souvent par des majuscules, procédé cher d'ailleurs à tous les poètes symbolistes.

Au plan sensoriel, Nelligan réussit des combinaisons synesthésiques remarquables: « l'azur d'un poème » (p. 65), « parfum des astrales musiques » (p. 86), « chant d'or » (p. 220), « pierres fanées » (p. 262). Le trait singulier de sa vision, — et l'image en porte la marque —, c'est la nature des associations, caractérisation concrétisante ajoutée à l'abstraction: « idéales côtes » (p. 57), « solitudes roses » (p. 60), « frisson tiède » (p. 81), « soupir lacté » (p. 87), « massif ennui » (p. 89), « un baiser bleu (p. 259). Dans la *Romance du vin*, nous relevons « gaieté verte », « espoirs naguères », « froides mélopées », « pourpres épées », « les rayons (...) percent le cœur », « ma jeunesse noire ». Nous constatons que dans la structure des correspondances verticales Nelligan préfère l'adjectif qualificatif au complément d'objet.

L'élément visuel surgit fréquemment dans des analogies. Nelligan conçoit le monde comme une symphonie de couleurs parmi lesquelles l'âme avait retenu les siennes.

> On nous a conté, écrit Dantin, qu'à cinq ans, devant un firmament plein d'étoiles, il s'écria: « Maman ! que d'allumettes au ciel ! Est-ce que la nuit ne va pas

---

40. *Fantaisie créole*, p. 155.
41. *Le Talisman*, p. 54.
42. *Ruines*, p. 58.
43. *Confession nocturne*, p. 126.

Deux portraits d'Emilie-Amanda Nelligan,
la mère d'Emile (Collection Nelligan-Corbeil).

flamber ? » C'était déjà le don de « seconde vue », le don de l'image forte et neuve [44].

Renseignement révélateur et rigoureusement exact qui confirme le don inné de « seconde vue » et qui permet d'associer un état d'âme aux différents éclats des teintes et des lignes.

De nombreuses métaphores visuelles jalonnent l'œuvre de Nelligan: *Clair de lune intellectuel* peut en fournir l'illustration parfaite. Les sensations auditives ont déterminé l'image dans *Five o'clock*, *Le Violon brisé*, *Mazurka*, *Automne*, *Prière du soir*. Moins fréquentes, les images tactiles révèlent une sensibilité effervescente, maladive:

> Et j'ai senti glisser sur ma figure moite
> Le frisson familier d'une bête à son trou [45].

La correspondance entre l'homme et la bête est le frisson pathologique qui traduit synthétiquement l'angoisse devant la mort. Le nerf des images nelliganiennes, c'est presque toujours le verbe. Le verbe admirablement placé, mais aussi le verbe inventé:

> .... un violon polaire
> Qui musicât ces vers et perpétuellement [46].

> Et les roses d'hymen printanisaient ses yeux [47].

Il est clair que ni « musique » ni « printemps » ne sont assez forts aux yeux de Nelligan pour créer l'image rêvée. Alors, il les « verbalise » et l'effet obtenu est remarquable.

Ce qui est décisif dans le monde des images, ce n'est ni leur place parmi les figures de style ni même leur fréquence dans l'ensemble de l'œuvre: c'est l'intentionnalité profonde que l'auteur a réussi à y imprimer. Personne ne peut soutenir que le vaisseau constitue un motif excessivement itératif de l'œuvre de Nelligan. C'est à force d'affirmation, c'est en raison d'une obsession, c'est, enfin, grâce à son magnifique équilibre esthétique que cette image

---

44. Louis Dantin, *Emile Nelligan et son œuvre*, dans *Revue canadienne*, 39 (1903), p. 279.
45. *Le Cercueil*, p. 129.
46. *Le Tombeau de Charles Baudelaire*, p. 241.
47. *Le Suicide d'Angel Valdor*, p. 264.

devient le signe particulier d'un message: en lui le rêve vit son destin jusqu'à l'expérience du gouffre. Le plus grand pouvoir que le poète puisse jamais souhaiter, c'est la connaissance par signes.

Ancré dans la conscience, mélodieusement imprimé dans un langage poétique, chargé de joies et de solitudes d'être, le signe devient symbole, ce qui veut dire moyen de signification particulière. En plus du « vaisseau », l'œuvre de Nelligan compte plusieurs symboles: le jardin, espace des souvenirs où l'enfance revit et succombe; le clavecin, durée intime où gisent « tant de musiques éplorées »; la chapelle, monde fleuri de la foi et aussi « d'un reste de vitrail »; vierge noire, femme d'autrefois devenue le symbole de la souffrance; corbeaux, oiseaux noirs, compagnons de corbillards et de cimetières; la passante, image de la fuite de l'enfance « au vaisseau des Vingt ans ». Dans ces substantifs de significations polyvalentes, le lyrisme décanté fixe à merveille la douleur et, avec autant de force que le blanc et le noir, il parle d'un monde évanoui entre le berceau et le cercueil. Ce qui appartient en propre au symbole, c'est le rôle désormais important des mots qui fixent avec insistance les instants ineffables d'une vie:

> La poésie, la poésie véritable, dit Daniel Rops, possède le mystérieux pouvoir de fixer des instants de miracle, de les exprimer. Formellement, il ne s'agit que d'un assemblage de mots, de quelques jeux de rythmes bien choisis, habilement équilibrés; mais ces accords, ces assemblages sont rebelles à toute analyse, et l'empire où ils nous prennent ne se définit pas [48].

Rien ne caractérise mieux le symbole que le pouvoir évocateur qui tient à la fois à l'âme et à la technique. C'est que ce signe adhère implicitement à la présence autant qu'à l'absence de l'être, en jouissant du plein privilège de les unir musicalement dans une forme poétique. Et il serait illusoire de prétendre que la critique parvienne un jour à déterminer la vraie profondeur du symbole. Le conseil

---

48. Daniel Rops, *Tresserve*, poésie, dans *La Table ronde*, no 106, octobre 1956, p. 78-80.

de Jean Paulhan garde toujours sa valeur: « Je ne vais pas imaginer que le génie ou la beauté se laissent réduire en formules, ni qu'il existe quelque procédé mathématique, propre à mesurer la beauté d'une image. Que l'enchantement garde ses secrets [49] ! »

Il n'est pas pourtant interdit d'insister sur la grande sensibilité de Nelligan. Aussi est-il avant tout un romantique, mais un romantique sans développement verbal, auquel Baudelaire, Verlaine et Rodenbach ont enseigné l'économie du langage, l'unité du sentiment. Nelligan est un artiste à l'âme tourmentée en face d'un monde qui ne le comprend pas. Pour une large part, ses images sont romantiques: clairs de lune, cimetières, ruines, campagne automnale. Son mal du siècle ressemble à celui du « promeneur solitaire » autant qu'à la complainte de Laforgue. Il est lui-même le centre de l'image. Tout est revêtu de la couleur de son âme.

Mais ce romantique par sensibilité a opté pour des techniques plus modernes, celles des symbolistes et des parnassiens, puisant abondamment aux livres maladifs d'Edgar Poe et de Maurice Rollinat. Aussi ne faut-il pas s'étonner de le trouver en équilibre entre deux extrêmes, — l'art du début et de la fin du siècle —, et de constater que ses poèmes tendent vers des liaisons imprévues. Dans la sensibilité romantique, moulée dans une forme de fin de siècle, transparaît même l'aspect classique de son vers qui ne nuit d'ailleurs aucunement à l'unité de sa poésie.

Pour Nelligan, l'âme et le décor sont saisis dans l'instant. D'où la concentration de la connaissance poétique. La majorité de ses verbes sont au présent et traduisent une perception immédiatement vécue; ceux qui sont à l'imparfait ou au futur, expriment un souvenir ou une espérance mais à partir d'un présent. Les poèmes de Nelligan sont en général bâtis sur un seul temps dominant: l'instant qui brûle. Ainsi se précise la caractéristique capitale de

---

49. Jean Paulhan, *Petite préface à toute critique*, (s.l.), Editions de Minuit, 1951, p. 22-23.

son univers: la réflexibilité. On comprend par là le retour des thèmes sur le moi, qui constitue le centre unique autour duquel gravitent les objets, qui l'éclairent d'une lumière que lui-même leur avait communiquée. Ce repli constant est, à vrai dire, la seule défense contre un monde « hostile et méchant ». Nelligan refuse le présent, craint l'avenir et fuit désespérément dans le souvenir par la nostalgie obsédante du sein maternel. Nelligan est un homme qui cherche sans relâche un abri.

Au couchant du XIXe siècle, aux heures de gloire de l'Ecole littéraire de Montréal, Nelligan fait au Canada français figure de novateur. Bercé longtemps par la poésie patriotique, le public n'était pas habitué à l'explosion du moi.

> Avec Nelligan, constate Charles ab der Halden, nous sommes loin de Crémazie et de la *Légende d'un peuple*. Mais si Crémazie fut original en regardant et en traduisant son pays, Nelligan se retrouve en regardant en lui-même et en traduisant son âme triste [50] !

L'univers poétique de Nelligan vit en effet de sa souffrance. Son langage est essentiellement cri, frisson, spasme. De dimension modeste, cent soixante poèmes environ, l'œuvre de l'auteur du *Vaisseau d'Or* est la légende d'un Moi dans la légende d'un peuple. Et dans cette subjectivité à résonance unique se fixe la qualité de la forme, qui fait de Nelligan le premier vrai poète lyrique parmi les écrivains canadiens-français d'aujourd'hui.

Terminé à Ottawa, le 18 novembre 1966.

---

50. Charles ab der Halden, *Emile Nelligan*, dans *Le Nationaliste*, 1ère année, no 49, février 1905, p. 4.

LE SONNET DE NELLIGAN

	I	II	III	IV	V	VI	VII	VIII	IX	X	XI	XII	XIII	XIV	XV	XVI	XVII	XVIII	XIX	XX	XXI	XXII	XXIII	XXIV	Total
(nombre)	5	37	1	1	3	1	1	1	7	1	1	1	1	1	1	1	1	2	1	1	1	3	2	1	76
12a	–	–	–	–	b	b	b	–	–	–	–	–	–	–	–	b	b	–	–	10a	8a	–	–	–	
12b	–	–	–	–	a	b	a	–	–	–	–	–	–	–	–	a	a	–	–	10b	8b	–	–	–	
12b	–	–	–	–	a	b	b	–	–	–	–	–	–	–	–	b	b	–	–	10a	8b	–	–	–	
12a	–	–	–	–	b	a	a	–	–	–	–	–	–	–	–	a	a	–	–	10b	8a	–	–	–	
12a	–	–	–	–	b	b	b	–	–	–	–	–	–	–	–	b	b	–	–	10a	8a	–	–	–	
12b	–	–	–	–	a	a	a	–	–	–	–	–	–	–	–	b	b	–	–	10b	8b	–	–	–	
12b	–	–	–	–	a	b	b	–	–	–	–	–	–	–	–	a	a	–	–	10b	8b	–	–	–	
12a	–	–	–	–	b	a	a	–	–	–	–	–	–	–	–	b	a	–	–	10a	8a	–	–	–	
12c	–	–	–	–	c	c	c	–	–	c	c	c	c	c	c	c	c	b	d	10c	8c	d	e	d	
12c	–	–	–	d	c	c	c	–	d	c	c	c	c	c	c	c	c	a	d	10c	8c	e	e	e	
12d	–	–	–	c	d	d	d	–	c	d	d	d	d	d	d	a	a	c	d	10d	8d	f	f	d	
12e	–	d	d	d	e	e	e	f	e	g	g	g	d	e	e	b	b	b	d	10e	8e	g	e	e	
12e	d	d	d	c	d	e	e	g	g	g	f	g	e	d	d	e	e	g	d	10e	8d	f	e	e	
12d	e	c	c	e	e	d	d	g	g	g	g	f	c	e	e	d	d	g	d	10d	8e	g	f	d	

I. Le Robin des Bois-68; Christ en croix-189; Sculpteur sur marbre-219; A Georges Rodenbach-233; Le Crêpe-234.

II. Le Regret des Joujoux-49; Premier remords-51; Les Angéliques-59; Amour Immaculé-74; Gretchen la Pâle-87; Châteaux en Espagne-76; Pour Ignace Paderewski-86; Violon d'adieu-94; Mazurka-95; Les Corbeaux-120; Banquet macabre-125; Rêve d'une nuit d'Hôpital-137; Le Cloître noir-138; Les Communiantes-139; Les Déicides I-140; II-141; Chapelle ruinée-145; Réponse du Crucifix-146; Les Balsamines-156; Les Carmélites-157; Paysage Fauve-158; L'Antiquaire-160; Vieille romanesque-166; Vieille armoire-167; L'Homme aux cercueils-173; La Passante-195; Sous les Faunes-196; Moines en défilade-216; Sonnet d'Or-220; Sur un portrait du Dante-221; Sieste ecclésiastique I-222; II-312-313; La Bénédictine-226; A une femme détestée-231; Le Tombeau de Chopin-236; Prélude triste-254; La Vierge noire-276.

III. Tombeau de la Négresse-127.

IV. Sorella dell'Amore-255.

V. Le Talisman-54; Hiver sentimental-93; Rêve de Watteau-103.

VI. Sur un portrait de Dante-312.

VII. Vieux Piano-215.

VIII. Devant le feu-50.

IX. Devant deux portraits de ma mère-53; Le Vaisseau d'Or-44; Beauté cruelle-78; Le Salon-89; La Cloche dans la brume-188; Ténèbres-197; Salons allemands-238.

X. Ruines-58.

XI. Rêve d'Artiste-65.

XII. Soirs d'Octobre-98.

XIII. Nocturne-210.

XIV. Béatrice-217.

XV. Le Voyageur-218.

XVI. Charles Baudelaire-213.

XVII. Le Tombeau de Charles Baudelaire-241.

XVIII. Nuit d'été-102, 291-2.

XIX. Le Vent, le Vent triste d'automne-232.

XX. Mélodie de Rubinstein-212.

XXI. Chapelle de la morte-77.

XXII. Pan moderne-246; Je veux m'éluder-263; Chopin-92.

XXIII. Rêves enclos-81; Lied fantasque-88.

XXIV. La mort du Moine-142.

CHOIX DE TEXTES

C'ÉTAIT L'AUTOMNE...
ET LES FEUILLES TOMBAIENT TOUJOURS [1] ...

L'angélus sonnait, et l'enfant sur sa couche de douleur souffrait d'atroces maux; il avait à peine quinze ans, et les froids autans contribuaient beaucoup à empirer son mal.

Mais pourtant sa mère qui se lamentait au pied du lit, l'attristait encore plus profondément et augmentait en quelque sorte sa douleur.

Soudain, joignant ses mains pâles en une céleste supplication, et portant sur le crucifix noir de la chambre ses yeux presque éteints, il fit une humble et douce prière qui monta vers Dieu comme un parfum langoureux.

Et dehors, dans la nuit froide, les faibles coups de la cloche de la petite église voisine montaient tristement, elle semblait tinter d'avance le glas funèbre du jeune malade.

La chaumière, perdue au fond de la campagne, était ombragée par de hauts peupliers qui lui voilaient le lointain.

---

1. Ce devoir figure dans l'Album-Souvenir du *Collège Sainte-Marie, Souvenir annuel de l'année 1921*, p. 494-495, qu'on peut trouver aux Archives de cette Institution.

De belles montagnes bleues une à une se déroulaient là-bas, mais elles paraissaient maintenant plutôt noires, car les horizons s'assombrissaient de plus en plus.

Les oiseaux dans les bocages ne chantaient plus, et toutes ces jolies fauvettes qui avaient égayé le printemps et l'été s'étaient envolées vers des parages inconnus.

Les feuilles tombent et la brise d'automne gémit dans la ramure; il fait sombre dehors; mais ces tristes plaintes de la nature, ces gémissements prolongés du vent, ne sont que les faibles échos de cette immense douleur qui veille au chevet du malade que Dieu redemande à la mère...

Onze heures sonnent à la vieille horloge de la chaumière; l'enfant vient de faire un mouvement qui appelle encore plus près de lui celle qui lui a prodigué ses soins pendant tant de jours et pendant tant de nuits.

Elle approche, défaillante et écoute attentivement les paroles que le mourant lui murmure faiblement à l'oreille: « Mère, dit-il, je m'en vais... mais je ne t'oublierai pas là ...haut... où... j'espère... de te... retrouver un jour... ne pleure pas... approche encore une dernière fois le crucifix de mes lèvres... car je n'ai plus que quelques instants à vivre... adieu, mère chérie... tu sais la place où je m'asseyais l'été dernier... sous le grand chêne... eh bien! c'est là... que je désire... qu'on m'enterre... Mère adieu, prends courage... »

La mère ne pleure pas; comme Marie au pied du calvaire elle embrasse sa croix... souffre... et fait généreusement son sacrifice...

Cependant les feuilles tombent, tombent toujours, le sol est jonché de ces présages à la fois tristes et lugubres; dans la chaumière le silence solennel, la lampe jette dans l'appartement mortuaire une lueur funèbre qui se projette sur la figure blanche du cadavre à peine froid; la vitre est toute mouillée des embruns de la nuit et la brise plaintive continue à pleurer dans les clairières. La jeunesse hélas !

du jeune malade, s'est évanouie comme la fleur des champs qui se meurt, faute de pluie, sous les ardents rayons d'un soleil lumineux.

Que la nature, le bois, les arbres, la vallée paraissaient tristes ce jour-là, car c'était l'automne... et les feuilles tombaient toujours.

Émile-Edwin NELLIGAN

Dimanche, le 8 mars 1896.

L'ÂME DU POÈTE

CLAIR DE LUNE INTELLECTUEL

Ma pensée est couleur de lumières lointaines,
Du fond de quelque crypte aux vagues profondeurs.
Elle a l'éclat parfois des subtiles verdeurs
D'un golfe où le soleil abaisse ses antennes.

En un jardin sonore, au soupir des fontaines,
Elle a vécu dans les soirs doux, dans les odeurs;
Ma pensée est couleur de lumières lointaines,
Du fond de quelque crypte aux vagues profondeurs.

Elle court à jamais les blanches prétentaines,
Au pays angélique où montent ses ardeurs,
Et, loin de la matière et des brutes laideurs,
Elle rêve l'essor aux célestes Athènes.

Ma pensée est couleur de lunes d'or lointaines.

MON ÂME

Mon âme a la candeur d'une chose étoilée,
     D'une neige de février...
Ah ! retournons au seuil de l'Enfance en allée,
     Viens-t-en prier...

Ma chère, joins tes doigts et pleure et rêve et prie,
     Comme tu faisais autrefois
Lorsqu'en ma chambre, aux soirs, vers la Vierge fleurie
     Montait ta voix.

Ah ! la fatalité d'être une âme candide
En ce monde menteur, flétri, blasé, pervers,
D'avoir une âme ainsi qu'une neige aux hivers
Que jamais ne souilla la volupté sordide !

D'avoir l'âme pareille à de la mousseline
Que manie une sœur novice de couvent,
Ou comme un luth empli des musiques du vent
Qui chante et qui frémit le soir sur la colline !

D'avoir une âme douce et mystiquement tendre,
Et cependant, toujours, de tous les maux souffrir,
Dans le regret de vivre et l'effroi de mourir,
Et d'espérer, de croire... et de toujours attendre !

LE VAISSEAU D'OR

Ce fut un grand Vaisseau taillé dans l'or massif:
Ses mâts touchaient l'azur, sur des mers inconnues;
La Cyprine d'amour, cheveux épars, chairs nues,
S'étalait à sa proue, au soleil excessif.

Mais il vint une nuit frapper le grand écueil
Dans l'Océan trompeur où chantait la Sirène,
Et le naufrage horrible inclina sa carène
Aux profondeurs du Gouffre, immuable cercueil.

Ce fut un Vaisseau d'Or, dont les flancs diaphanes
Révélaient des trésors que les marins profanes,
Dégoût, Haine et Névrose, entre eux ont disputés.

Que reste-t-il de lui dans la tempête brève ?
Qu'est devenu mon cœur, navire déserté ?
Hélas ! Il a sombré dans l'abîme du Rêve !

LE JARDIN DE L'ENFANCE

CLAVIER D'ANTAN

Clavier vibrant de remembrance,
J'évoque un peu des jours anciens,
Et l'Eden d'or de mon enfance

Se dresse avec les printemps siens,
Souriant de vierge espérance
Et de rêves musiciens...

Vous êtes morte tristement,
Ma muse des choses dorées,
Et c'est de vous qu'est mon tourment;

Et c'est pour vous que sont pleurées
Au luth âpre de votre amant
Tant de musiques éplorées.

DEVANT MON BERCEAU

En la grand'chambre ancienne aux rideaux de guipure
Où la moire est flétrie et le brocart fané,
Parmi le mobilier de deuil où je suis né
Et dont se scelle en moi l'ombre nacrée et pure;

Avec l'obsession d'un sanglot étouffant,
Combien ma souvenance eut d'amertume en elle,
Lorsque, remémorant la douceur maternelle,
Hier, j'étais penché sur ma couche d'enfant.

Quand je n'étais qu'au seuil de ce monde mauvais,
Berceau, que n'as-tu fait pour moi tes draps funèbres,
Ma vie est un blason sur des murs de ténèbres,
Et mes pas sont fautifs où maintenant je vais.

Ah ! que n'a-t-on tiré mon linceul de tes langes,
Et mon petit cercueil de ton bois frêle et blanc,
Alors que se penchait sur ma vie, en tremblant,
Ma mère souriante avec l'essaim des anges !

MA MÈRE

Quelquefois sur ma tête elle met ses mains pures,
Blanches, ainsi que des frissons blancs de guipures.

Elle me baise au front, me parle tendrement,
D'une voix au son d'or mélancoliquement.

Elle a les yeux couleur de ma vague chimère,
O toute poésie, ô toute extase, ô Mère !

A l'autel de ses pieds je l'honore en pleurant,
Je suis toujours petit pour elle, quoique grand.

DEVANT DEUX PORTRAITS
DE MA MÈRE

Ma mère, que je l'aime en ce portrait ancien,
Peint aux jours glorieux qu'elle était jeune fille,
Le front couleur de lys et le regard qui brille
Comme un éblouissant miroir vénitien !

Ma mère que voici n'est plus du tout la même;
Les rides ont creusé le beau marbre frontal;
Elle a perdu l'éclat du temps sentimental
Où son hymen chanta comme un rose poème.

Aujourd'hui je compare, et j'en suis triste aussi,
Ce front nimbé de joie et ce front de souci,
Soleil d'or, brouillard dense au couchant des années.

Mais, mystère de cœur qui ne peut s'éclairer !
Comment puis-je sourire à ces lèvres fanées ?
Au portrait qui sourit, comment puis-je pleurer ?

LE JARDIN D'ANTAN

Rien n'est plus doux aussi que de s'en revenir
    Comme après de longs ans d'absence,
        Que de s'en revenir

      Par le chemin du souvenir
      Fleuri de lys d'innocence,
        Au jardin de l'Enfance.

Au jardin clos, scellé, dans le jardin muet
    D'où s'enfuirent les gaietés franches,
        Notre jardin muet
      Et la danse du menuet
      Qu'autrefois menaient sous branches
        Nos sœurs en robes blanches.

Aux soirs d'Avrils anciens, jetant des cris joyeux
    Entremêlés de ritournelles,
        Avec des lieds joyeux
      Elles passaient, la gloire aux yeux,
      Sous le frisson des tonnelles,
        Comme en les villanelles

Cependant que venaient, du fond de la villa,
    Des accords de guitare ancienne,
        De la vieille villa,
      Et qui faisaient deviner là
      Près d'une obscure persienne,
        Quelque musicienne.

Mais rien n'est plus amer que de penser aussi
    A tant de choses ruinées !
        Ah ! de penser aussi,
      Lorsque nous revenons ainsi
      Par des sentes de fleurs fanées,
        A nos jeunes années.

Lorsque nous nous sentons névrosés et vieillis,
Froissés, maltraités et sans armes,
Moroses et vieillis,
Et que, surnageant aux oublis,
S'éternise avec ses charmes
Notre jeunesse en larmes !

LA FUITE DE L'ENFANCE

Par les jardins anciens foulant la paix des cistes,
Nous revenons errer, comme deux spectres tristes,
Au seuil immaculé de la Villa d'antan.

Gagnons les bords fanés du Passé. Dans les râles
De sa joie il expire. Et vois comme pourtant
Il se dresse sublime en ses robes spectrales.

Ici sondons nos cœurs pavés de désespoirs.
Sous les arbres cambrant leurs massifs torses noirs
Nous avons les Regrets pour mystérieux hôtes.

Et bien loin, par les soirs révolus et latents,
Suivons là-bas, devers les idéales côtes,
La fuite de l'Enfance au vaisseau des Vingt ans.

AMOURS D'ÉLITE

RÊVE D'ARTISTE

Parfois j'ai le désir d'une sœur bonne et tendre,
D'une sœur angélique au sourire discret
Sœur qui m'enseignera doucement le secret
De prier comme il faut, d'espérer et d'attendre.

J'ai ce désir très pur d'une sœur éternelle,
D'une sœur d'amitié dans le règne de l'Art,
Qui me saura veillant à ma lampe très tard
Et qui me couvrira des cieux de sa prunelle;

Qui me prendra les mains quelquefois dans les siennes
Et me chuchotera d'immaculés conseils,
Avec le charme ailé des voix musiciennes;

Et pour qui je ferai, si j'aborde à la gloire,
Fleurir tout un jardin de lys et de soleils
Dans l'azur d'un poème offert à sa mémoire.

THÈME SENTIMENTAL

Je t'ai vue un soir me sourire
Dans la planète des Bergers;
Tu descendais à pas légers
Du seuil d'un château de porphyre.

Et ton œil de diamant rare
Eblouissait le règne astral.
Femme, depuis, par mont ou val,
Femme, beau marbre de Carrare,

Ta voix me hante en sons chargés
De mystère et fait mon martyre,
Car toujours je te vois sourire
Dans la planète des Bergers.

AMOUR IMMACULÉ

Je sais en une église un vitrail merveilleux
Où quelque artiste illustre, inspiré des archanges,
A peint d'une façon mystique, en robe à franges,
Le front nimbé d'un astre, une Sainte aux yeux bleus.

Le soir, l'esprit hanté de rêves nébuleux
Et du céleste écho de récitals étranges,
Je m'en viens la prier sous les lueurs oranges
De la lune qui luit entre ses blonds cheveux.

Telle sur le vitrail de mon cœur je t'ai peinte,
Ma romanesque aimée, ô pâle et blonde sainte,
Toi, la seule que j'aime et toujours aimerai;

Mais tu restes muette, impassible, et, trop fière,
Tu te plais à me voir, sombre et désespéré,
Errer dans mon amour comme en un cimetière !

CHÂTEAUX EN ESPAGNE

Je rêve de marcher comme un conquistador,
Haussant mon labarum triomphal de victoire,
Plein de fierté farouche et de valeur notoire,
Vers des assauts de ville aux tours de bronze et d'or.

Comme un royal oiseau, vautour, aigle ou condor,
Je rêve de planer au divin territoire,
De brûler au soleil mes deux ailes de gloire
A vouloir dérober le céleste Trésor.

Je ne suis hospodar, ni grand oiseau de proie;
A peine si je puis dans mon cœur qui guerroie
Soutenir le combat des vieux Anges impurs;

Et mes rêves altiers fondent comme des cierges
Devant cette Ilion éternelle aux cent murs,
La ville de l'Amour imprenable des Vierges !

BEAUTÉ CRUELLE

Certe, il ne faut avoir qu'un amour en ce monde,
Un amour, rien qu'un seul, tout fantasque soit-il;
Et moi qui le recherche ainsi, noble et subtil,
Voici qu'il m'est à l'âme une entaille profonde.

Elle est hautaine et belle, et moi timide et laid:
Je ne puis l'approcher qu'en des vapeurs de rêve.
Malheureux ! Plus je vais, et plus elle s'élève
Et dédaigne mon cœur pour un œil qui lui plaît.

Voyez comme, pourtant, notre sort est étrange !
Si nous eussions tous deux fait de figure échange,
Comme elle m'eût aimé d'un amour sans pareil !

Et je l'eusse suivie en vrai fou de Tolède,
Aux pays de la brume, aux landes du soleil,
Si le Ciel m'eût fait beau, et qu'il l'eût faite laide !

LES PIEDS SUR LES CHENETS

RÊVES ENCLOS

Enfermons-nous mélancoliques
Dans le frisson tiède des chambres,
Où les pots de fleurs des septembres
Parfument comme des reliques.

Tes cheveux rappellent les ambres
Du chef des vierges catholiques
Aux vieux tableaux des basiliques,
Sur les ors charnels de tes membres.

Ton clair rire d'émail éclate
Sur le vif écrin écarlate
Où s'incrusta l'ennui de vivre.

Ah ! puisses-tu vers l'espoir calme
Faire surgir comme une palme
Mon cœur cristallisé de givre !

SOIR D'HIVER

Ah ! comme la neige a neigé !
Ma vitre est un jardin de givre.
Ah ! comme la neige a neigé !
Qu'est-ce que le spasme de vivre
A la douleur que j'ai, que j'ai !

Tous les étangs gisent gelés,
Mon âme est noire: Où vis-je ? où vais-je ?
Tous ses espoirs gisent gelés:

Je suis la nouvelle Norvège
D'où les blonds ciels s'en sont allés.

Pleurez, oiseaux de février,
Au sinistre frisson des choses,
Pleurez, oiseaux de février,
Pleurez mes pleurs, pleurez mes roses,
Aux branches du genévrier.

Ah ! comme la neige a neigé !
Ma vitre est un jardin de givre.
Ah ! comme la neige a neigé !
Qu'est-ce que le spasme de vivre
A tout l'ennui que j'ai, que j'ai !...

POUR IGNACE PADEREWSKI

Maître, quand j'entendis, de par tes doigts magiques,
Vibrer ce grand Nocturne, à des bruits d'or pareil;
Quand j'entendis, en un sonore et pur éveil,
Monter sa voix, parfum des astrales musiques;

Je crus que, revivant ses rythmes séraphiques
Sous l'éclat merveilleux de quelque bleu soleil,
En toi, ressuscité du funèbre sommeil,
Passait le grand vol blanc du Cygne des phtisiques.

Car tu sus ranimer son puissant piano,
Et ton âme à la sienne en un mystique anneau
S'enchaîne étrangement par des causes secrètes.

Sois fier, Paderewski, du prestige divin
Que le ciel te donna, pour que chez les poètes
Tu fisses frissonner l'âme du grand Chopin !

GRETCHEN LA PÂLE

Elle est de la beauté des profils de Rubens
Dont la majesté calme à la sienne s'incline.
Sa voix a le son d'or de mainte mandoline
Aux balcons de Venise avec des chants lambins.

Ses cheveux, en des flots lumineux d'eaux de bains,
Déferlent sur sa chair vierge de manteline;
Son pas, soupir lacté de fraîche mousseline,
Simule un vespéral marcher de chérubins.

Elle est comme de l'or d'une blondeur étrange.
Vient-elle de l'Eden ? de l'Erèbe ? Est-ce un ange
Que ce mystérieux chef-d'œuvre du limon ?

La voilà se dressant, torse, comme un jeune arbre.
Souple Anadyomène... Ah ! gare à ce démon !
C'est le Paros qui tue avec ses bras de marbre !

CHOPIN

Fais, au blanc frisson de tes doigts,
Gémir encore, ô ma maîtresse !
Cette marche dont la caresse
Jadis extasia les rois.

Sous les lustres aux prismes froids,
Donne à ce cœur sa morne ivresse,
Aux soirs de funèbre paresse
Coulés dans ton boudoir hongrois.

Que ton piano vibre et pleure,
Et que j'oublie avec toi l'heure
Dans un Eden, on ne sait où...

Oh ! fais un peu que je comprenne
Cette âme aux sons noirs qui m'entraîne
Et m'a rendu malade et fou !

MAZURKA

Rien ne captive autant que ce particulier
Charme de la musique où ma langueur s'adore,
Quand je poursuis, aux soirs, le reflet que mordore
Maint lustre au tapis vert du salon familier.

Que j'aime entendre alors, plein de deuil singulier,
Monter du piano, comme d'une mandore,
Le rythme somnolent où ma névrose odore
Son spasme funéraire et cherche à s'oublier !

Gouffre intellectuel, ouvre-toi, large et sombre,
Malgré que toute joie en ta tristesse sombre,
J'y peux trouver encor comme un reste d'oubli,
Si mon âme se perd dans les gammes étranges
De ce motif en deuil que Chopin a poli
Sur un rythme inquiet appris des noirs Archanges.

SOIRS D'OCTOBRE

— Oui, je souffre, ces soirs, démons mornes, chers Saints.
— On est ainsi toujours au soupçon des Toussaints.
— Mon âme se fait dune à funèbres hantises.
— Ah ! donne-moi ton front, que je calme tes crises.

— Que veux-tu ? je suis tel, je suis tel dans ces villes,
Boulevardier funèbre échappé des balcons,
Et dont le rêve élude, ainsi que des faucons,
L'affluence des sots aux atmosphères viles.

Que veux-tu ? je suis tel... Laisse-moi reposer
Dans la langueur, dans la fatigue et le baiser,
Chère, bien-aimée âme où vont les espoirs sobres...

Ecoute ! ô ce grand soir, empourpré de colères,
Qui, galopant, vainqueur des batailles solaires,
Arbore l'Etendard triomphal des Octobres !

VIRGILIENNES

AUTOMNE

Comme la lande est riche aux heures empourprées,
Quand les cadrans du ciel ont sonné les vesprées !

Quels longs effeuillements d'angélus par les chênes !
Quels suaves appels des chapelles prochaines !

Là-bas, groupes meuglants de grands bœufs aux yeux
[glauques
Vont menés par des gars aux bruyants soliloques.

La poussière déferle en avalanches grises
Pleines du chaud relent des vignes et des brises.

Un silence a plu dans les solitudes proches:
Des Sylphes ont cueilli le parfum mort des cloches.

Quelle mélancolie ! Octobre, octobre en voie !
Watteau ! que je vous aime, Autran, ô Millevoye !

RÊVE DE WATTEAU

Quand les pastours, aux soirs des crépuscules roux
Menant leurs grands boucs noirs aux râles d'or des flûtes,
Vers le hameau natal, de par delà les buttes,
S'en revenaient, le long des champs piqués de houx;

Bohèmes écoliers, âmes vierges de luttes,
Pleines de blanc naguère et de jours sans courroux,
En rupture d'étude, aux bois jonchés de brous
Nous allions, gouailleurs, prêtant l'oreille aux chutes

Des ruisseaux, dans le val que longeait en jappant
Le petit chien berger des calmes fils de Pan
Dont le pipeau qui pleure appelle, tout au loin.

Puis, las, nous nous couchions, frissonnants jusqu'aux
Et parfois, radieux, dans nos palais de foin,   [moelles,
Nous déjeunions d'aurore et nous soupions d'étoiles...

VIOLON DE VILLANELLE

Sous le clair de lune au frais du vallon,
Beaux gars à chefs bruns, belles à chef blond,
Au son du hautbois ou du violon
  Dansez la villanelle.

La lande est noyée en des parfums bons.
Attisez la joie au feu des charbons;
Allez-y gaiement, allez-y par bonds,
  Dansez la villanelle.

Sur un banc de chêne ils sont là, les vieux,
Vous suivant avec des pleurs dans les yeux,
Lorsqu'en les frôlant vous passez joyeux...
  Dansez la villanelle.

Allez-y gaiement ! que l'orbe d'argent
Croise sur vos fronts son reflet changeant;
Bien avant dans la nuit, à la Saint-Jean
  Dansez la villanelle.

EAUX-FORTES FUNÉRAIRES

LES VIEILLES RUES

Que vous disent les vieilles rues
     Des vieilles cités ?...
Parmi les poussières accrues
     De leurs vétustés,
Rêvant de choses disparues,
Que vous disent les vieilles rues ?

Alors que vous y marchez tard
     Pour leur rendre hommage:
— « De plus d'une âme de vieillard
     Nous sommes l'image, »
Disent-elles dans le brouillard,
Alors que vous y marchez tard.

« Comme d'anciens passants nocturnes
     « Qui longent nos murs,
« En eux ayant les noires urnes
     « De leurs ans impurs,
« S'en vont les Remords taciturnes
« Comme d'anciens passants nocturnes. »

Voilà ce que dans les cités
     Maintes vieilles rues
Disent parmi les vétustés
     Des choses accrues
Parmi vos gloires disparues,
O mornes et mortes cités !

LE CORBILLARD

Par des temps de brouillard, de vent froid et de pluie,
Quand l'azur a vêtu comme un manteau de suie,
Fête des anges noirs ! dans l'après-midi, tard,
Comme il est douloureux de voir un corbillard,
Traîné par des chevaux funèbres, en automne,
S'en aller cahotant au chemin monotone,
Là-bas vers quelque gris cimetière perdu,
Qui lui-même, comme un grand mort gît étendu !
L'on salue, et l'on est pensif au son des cloches
Elégiaquement dénonçant les approches
D'un après-midi tel aux rêves du trépas.
Alors nous croyons voir, ralentissant le pas,
A travers des jardins rouillés de feuilles mortes,
Pendant que le vent tord des crêpes à nos portes,
Sortir de nos maisons, comme des cœurs en deuil,
Notre propre cadavre enclos dans le cercueil.

CONFESSION NOCTURNE

Prêtre, je suis hanté, c'est la nuit dans la ville,
Mon âme est le donjon des mortels péchés noirs,
Il pleut une tristesse horrible aux promenoirs
Et personne ne vient de la plèbe servile.

Tout est calme et tout dort. La solitaire Ville
S'aggrave de l'horreur vaste des vieux manoirs.
Prêtre, je suis hanté, c'est la nuit dans la ville;
Mon âme est le donjon des mortels péchés noirs.

En le parc hivernal, sous la bise incivile,
Lucifer rôde et va raillant mes désespoirs
Très fous !... Le suicide aiguise ses coupoirs !
Pour se pendre, il fait bon sous cet arbre tranquille...
. . . .

Prêtre, priez pour moi, c'est la nuit dans la ville !...

PETITE CHAPELLE

CHAPELLE DANS LES BOIS

Nous étions là deux enfants blêmes
Devant les grands autels à franges,
Où Sainte Marie et ses anges
Riaient parmi les chrysanthèmes.

Le soir poudrait dans la nef vide;
Et son rayon à flèche jaune,
Dans sa rigidité d'icone
Effleurait le grand Saint livide.

Nous étions là deux enfants tristes
Buvant la paix du sanctuaire,
Sous la veilleuse mortuaire
Aux vagues reflets d'améthyste.

Nos voix en extase à cette heure
Montaient en rogations blanches,
Comme un angélus des dimanches,
Dans le lointain qui prie et pleure...

Puis nous partions... Je me rappelle!
Les bois dormaient au clair de lune,
Dans la nuit tiède où tintait une
Voix de la petite chapelle...

BILLET CÉLESTE

Plein de spleen nostalgique et de rêves étranges,
Un soir je m'en allai chez la Sainte adorée,
Où se donnait, dans la salle de l'Empyrée,
Pour la fête du Ciel, le récital des anges.

Et nul garde pour lors ne veillant à l'entrée,
Je vins, le corps vêtu d'une tunique à franges,
Le soir où l'on chantait chez la Sainte adorée,
Plein de spleen nostalgique et de rêves étranges.

Des dames défilaient dans des robes oranges;
Les célestes laquais portaient haute livrée,
Et, ma demande étant par Cécile agréée,
Je l'écoutai jouer aux divines phalanges,

Plein de spleen nostalgique et de rêves étranges !

CHAPELLE RUINÉE

Et je retourne encor frileux, au jet des bruines,
Par les délabrements du parc d'octobre. Au bout
De l'allée où se voit ce grand Jésus debout,
Se massent des soupçons de chapelle en ruines.

Je refoule, parmi viornes, vipérines,
Rêveur, le sol d'antan où gîte le hibou;
L'Erable sous le vent se tord comme un bambou.
Et je sens se briser mon cœur dans ma poitrine.

Cloches des âges morts sonnant à timbres noirs
Et les tristesses d'or, les mornes désespoirs,
Portés par un parfum que le rêve rappelle,

Ah ! comme, les genoux figés au vieux portail,
Je pleure ces débris de petite chapelle...
Au mur croulant, fleur d'un reste de vitrail !

PASTELS ET PORCELAINES

FANTAISIE CRÉOLE

Or, la pourpre vêt la véranda rose
Au motif câlin d'une mandoline,
En des sangs de soir, aux encens de rose,
Or, la pourpre vêt la véranda rose.

Parmi les eaux d'or des vases d'Egypte,
Se fanent en bleu, sous les zéphirs tristes,
Des plants odorants qui trouvent leur crypte
Parmi les eaux d'or des vases d'Egypte.

La musique embaume et l'oiseau s'en grise;
Les cieux ont mené leurs valses astrales;
La Tendresse passe aux bras de la brise;
La musique embaume, et l'âme s'en grise.

Et la pourpre vêt la véranda rose,
Et dans l'Eden de sa Louisiane,
Parmi le silence, aux encens de rose,
La créole dort en un hamac rose.

PAYSAGE FAUVE

Les arbres comme autant de vieillards rachitiques,
Flanqués vers l'horizon sur les escarpements,
Ainsi que des damnés sous le fouet des tourments,
Tordent de désespoir leurs torses fantastiques.

C'est l'Hiver; c'est la Mort; sur les neiges arctiques,
Vers le bûcher qui flambe aux lointains campements,
Les chasseurs vont frileux sous leurs lourds vêtements,
Et galopent, fouettant leurs chevaux athlétiques.

La bise hurle; il grêle; il fait nuit, tout est sombre;
Et voici que soudain se dessine dans l'ombre
Un farouche troupeau de grands loups affamés;

Ils bondissent, essaims de fauves multitudes,
Et la brutale horreur de leurs yeux enflammés,
Allume de points d'or les blanches solitudes.

POTICHE

C'est un vase d'Egypte à riche ciselure,
Où sont peints des sphinx bleus et des lions ambrés:
De profil on y voit, souple, les reins cambrés,
Une immobile Isis tordant sa chevelure.

Flambantes, des nefs d'or se glissent sans voilure
Sur une eau d'argent plane aux tons de ciel marbrés:
C'est un vase d'Egypte à riche ciselure
Où sont peints des sphinx bleus et des lions ambrés.

Mon âme est un potiche où pleurent, dédorés,
De vieux espoirs mal peints sur sa fausse moulure;
Aussi j'en souffre en moi comme d'une brûlure,
Mais le trépas bientôt les aura tous sabrés...

Car ma vie est un vase à pauvre ciselure.

VÊPRES TRAGIQUES

MUSIQUES FUNÈBRES

Quand, rêvant de la morte et du boudoir absent,
Je me sens tenaillé des fatigues physiques,
Assis au fauteuil noir, près de mon chat persan,
J'aime à m'inoculer de bizarres musiques,
Sous les lustres dont les étoiles vont versant
Leur sympathie au deuil des rêves léthargiques.

J'ai toujours adoré, plein de silence, à vivre
En des appartements solennellement clos,
Où mon âme sonnant des cloches de sanglots,
Et plongeant dans l'horreur, se donne toute à suivre,
Triste comme un son mort, close comme un vieux livre,
Ces musiques vibrant comme un éveil de flots.

Que m'importent l'amour, la plèbe et ses tocsins ?
Car il me faut, à moi, des annales d'artiste;
Car je veux, aux accords d'étranges clavecins,
Me noyer dans la paix d'une existence triste
Et voir se dérouler mes ennuis assassins,
Dans le prélude où chante une âme symphoniste.

Je suis de ceux pour qui la vie est une bière
Où n'entrent que les chants hideux des croquemorts,
Où mon fantôme las, comme sous une pierre,
Bien avant dans les nuits cause avec ses remords,
Et vainement appelle, en l'ombre familière
Qui n'a pour l'écouter que l'oreille des morts.

Allons ! que sous vos doigts, en rythme lent et long
Agonisent toujours ces mornes chopinades...

Ah ! que je hais la vie et son noir Carillon !
Engouffrez-vous, douleurs, dans ces calmes aubades,
Ou je me pends ce soir aux portes du salon,
Pour chanter en Enfer les rouges sérénades !

Ah ! funèbre instrument, clavier fou, tu me railles !
Doucement, pianiste, afin qu'on rêve encor !
Plus lentement, plaît-il ?... Dans des chocs de ferrailles,
L'on descend mon cerceuil, parmi l'affreux décor
Des ossements épars au champ des funérailles,
Et mon cœur a gémi comme un long cri de cor !...

LE PUITS HANTÉ

Dans le puits noir que tu vois là
Gît la source de tout ce drame.
Aux vents du soir le cerf qui brame
Parmi les bois conte cela.

Jadis un amant fou, voilà,
Y fut noyé par une femme.
Dans le puits noir que tu vois là
Gît la source de tout ce drame.

Pstt ! n'y viens pas ! On voit l'éclat
Mystérieux d'un spectre en flamme,
Et l'on entend, la nuit, une âme
Râler comme en affreux gala,

Dans le puits noir que tu vois là.

L'IDIOTE AUX CLOCHES

I

Elle a voulu trouver les cloches
Du Jeudi-Saint sur les chemins;
Elle a saigné ses pieds aux roches
A les chercher dans les soirs maints,
　　Ah ! lon lan laire,

Elle a meurtri ses pieds aux roches;
On lui disait: « Fouille tes poches.
— Nenni, sont vers les cieux romains:
Je veux trouver les cloches, cloches,
    Je veux trouver les cloches
Et je les aurai dans mes mains »:
Ah ! lon lan laire et lon lan la.

II

Or vers les heures vespérales
Elle allait, solitaire, aux bois.
Elle rêvait des cathédrales
Et des cloches dans les beffrois;
    Ah ! lon lan laire,
Elle rêvait des cathédrales,
Puis tout à coup, en de fous râles
S'élevait tout au loin sa voix:
« Je veux trouver les cloches, cloches,
    Je veux trouver les cloches
Et je les aurai dans mes mains »;
Ah ! lon lan laire et lon lan la.

III

Une aube triste, aux routes croches,
On la trouva dans un fossé.
Dans la nuit du retour des cloches
L'idiote avait trépassé;
    Ah ! lon lan laire,
Dans la nuit du retour des cloches,
A leurs métalliques approches,
Son rêve d'or fut exaucé:
Un ange mit les cloches, cloches,
    Lui mit toutes les cloches,
Là-haut, lui mit toutes aux mains;
Ah ! lon lan laire et lon lan la.

TRISTIA

LE LAC

Remémore, mon cœur, devant l'onde qui fuit
De ce lac solennel, sous l'or de la vesprée,
Ce couple malheureux dont la barque éplorée
Y vint sombrer avec leur amour, une nuit.

Comme tout alentour se tourmente et sanglote !
Le vent verse les pleurs des astres aux roseaux,
Le lys s'y mire ainsi que l'azur plein d'oiseaux,
Comme pour y chercher une image qui flotte.

Mais rien n'en a surgi depuis le soir fatal
Où les amants sont morts enlaçant leurs deux vies,
Et les eaux en silence aux grèves d'or suivies
Disent qu'ils dorment bien sous leur calme cristal.

Ainsi la vie humaine est un grand lac qui dort
Plein, sous le masque froid des ondes déployées,
De blonds rêves déçus, d'illusions noyées,
Où l'Espoir vainement mire ses astres d'or.

LA CLOCHE DANS LA BRUME

Ecoutez, écoutez, ô ma pauvre âme ! Il pleure
Tout au loin dans la brume ! Une cloche ! Des sons
Gémissent sous le noir des nocturnes frissons,
Pendant qu'une tristesse immense nous effleure.

A quoi songez-vous donc ? à quoi pensez-vous tant ?...
Vous qui ne priez plus, ah ! serait-ce, pauvresse,
Que vous compareriez soudain votre détresse
A la cloche qui rêve aux angélus d'antan ?...

Comme elle vous geignez, funèbre et monotone,
Comme elle vous tintez dans les brouillards d'automne,
Plainte de quelque église exilée en la nuit.

Et qui regrette avec de sonores souffrances
Les fidèles quittant son enceinte qui luit,
Comme vous regrettez l'exil des Espérances.

CHRIST EN CROIX

Je remarquais toujours ce grand Jésus de plâtre
Dressé comme un pardon au seuil du vieux couvent,
Echafaud solennel à geste noir, devant
Lequel je me courbais, saintement idolâtre.

Or, l'autre soir, à l'heure où le cri-cri folâtre,
Par les prés assombris, le regard bleu rêvant,
Récitant Eloa, les cheveux dans le vent,
Comme il sied à l'Ephèbe esthétique et bellâtre,

J'aperçus, adjoignant des débris de parois,
Un gigantesque amas de lourde vieille croix
Et de plâtre écroulé parmi les primevères;

Et je restai là, morne, avec les yeux pensifs,
Et' j'entendais en moi des marteaux convulsifs
Renfoncer les clous noirs des intimes Calvaires !

SÉRÉNADE TRISTE

Comme des larmes d'or qui de mon cœur s'égouttent,
Feuilles de mes bonheurs, vous tombez toutes, toutes.

Vous tombez au jardin de rêve où je m'en vais,
Où je vais, les cheveux au vent des jours mauvais.

Vous tombez de l'intime arbre blanc, abattues
Çà et là, n'importe où, dans l'allée aux statues.

Couleur des jours anciens, de mes robes d'enfant,
Quand les grands vents d'automne ont sonné l'olifant.

Et vous tombez toujours, mêlant vos agonies,
Vous tombez, mariant, pâles, vos harmonies.

Vous avez chu dans l'aube au sillon des chemins;
Vous pleurez de mes yeux, vous tombez de mes mains.

Comme des larmes d'or qui de mon cœur s'égouttent,
Dans mes vingt ans déserts vous tombez toutes, toutes.

LA ROMANCE DU VIN

Tout se mêle en un vif éclat de gaîté verte.
O le beau soir de mai ! Tous les oiseaux en chœur,
Ainsi que les espoirs naguères à mon cœur,
Modulent leur prélude à ma croisée ouverte.

O le beau soir de mai ! le joyeux soir de mai !
Un orgue au loin éclate en froides mélopées;
Et les rayons, ainsi que de pourpres épées,
Percent le cœur du jour qui se meurt parfumé.

Je suis gai ! je suis gai ! Dans le cristal qui chante,
Verse, verse le vin ! verse encore et toujours,
Que je puisse oublier la tristesse des jours,
Dans le dédain que j'ai de la foule méchante !

Je suis gai ! je suis gai ! Vive le vin et l'Art !...
J'ai le rêve de faire aussi des vers célèbres,
Des vers qui gémiront les musiques funèbres
Des vents d'automne au loin passant dans le brouillard.

C'est le règne du rire amer et de la rage
De se savoir poète et l'objet du mépris,
De se savoir un cœur et de n'être compris
Que par le clair de lune et les grands soirs d'orage !

Femmes ! je bois à vous qui riez du chemin
Où l'Idéal m'appelle en ouvrant ses bras roses;
Je bois à vous surtout, hommes aux fronts moroses
Qui dédaignez ma vie et repoussez ma main !

Pendant que tout l'azur s'étoile dans la gloire,
Et qu'un hymne s'entonne au renouveau doré,
Sur le jour expirant je n'ai donc pas pleuré,
Moi qui marche à tâtons dans ma jeunesse noire !

Je suis gai ! je suis gai ! Vive le soir de mai !
Je suis follement gai, sans être pourtant ivre !...
Serait-ce que je suis enfin heureux de vivre;
Enfin mon cœur est-il guéri d'avoir aimé ?

Les cloches ont chanté; le vent du soir odore...
Et pendant que le vin ruisselle à joyeux flots,
Je suis si gai, si gai, dans mon rire sonore,
Oh ! si gai, que j'ai peur d'éclater en sanglots !

PIÈCES RETROUVÉES

1896

RÊVE FANTASQUE

Les bruns chêneaux altiers traçaient dans le ciel triste,
D'un mouvement rythmique, un bien sombre contour;
Les beaux ifs langoureux, et l'ypran qui s'attriste
    Ombrageaient les verts nids d'amour.

Ici, jets d'eau moirés et fontaines bizarres;
Des Cupidons d'argent, des plants taillés en cœur,
Et tout au fond du parc, entre deux longues barres,
    Un cerf bronzé d'après Bonheur.

Des cygnes blancs et noirs, aux magnifiques cols,
Folâtrent bel et bien dans l'eau et sur la mousse;
Tout près des nymphes d'or — là-haut la lune douce !
    — Vont les oiseaux en gentils vols.

Des sons lents et distincts, faibles dans les rallonges,
Harmonieusement résonnent dans l'air froid;
L'opaline nuit marche, et d'alanguissants songes
    Comme elle envahissent l'endroit.

Aux chants des violons, un écho se réveille;
Là-bas, j'entends gémir une voix qui n'est plus;
Mon âme, soudain triste à ce son qui l'éveille,
    Se noie en un chagrin de plus.

Qu'il est doux de mourir quand notre âme s'afflige,
Quand nous pèse le temps tel qu'un cuisant remords,
— Que le désespoir ou qu'un noir penser l'exige —
    Qu'il est doux de mourir alors !

Je me rappelle encor... par une nuit de mai,
Mélancoliquement tel que chantait le hâle;
Ainsi j'écoutais bruire au delà du remblai
    Le galop d'un noir Bucéphale.

Avec ces vagues bruits fantasquement charmeurs
Rentre dans le néant le rêve romanesque;
Et dans le parc imbu de soudaines fraîcheurs,
    Mais toujours aussi pittoresque,

Seuls, les chêneaux pâlis tracent dans le ciel triste,
D'un mouvement rythmique, un moins sombre contour;
Les ifs se balançant et l'ypran qui s'attriste
    Ombragent les verts nids d'amour.

1897

VIEUX PIANO

> Plein de la voix mêlée autrefois à la sienne,
> Et triste, un clavecin d'ébène que domine
> Une coupe où se meurt, tendre, une balsamine
> Pleure les doigts défunts de la musicienne.
>
> Catulle MENDÈS

L'âme ne frémit plus chez ce vieil instrument;
Son couvercle baissé lui donne un aspect sombre;
Relégué du salon, il sommeille dans l'ombre
Ce misanthrope aigri de son isolement.

Je me souviens encor des nocturnes sans nombre
Que me jouait ma mère, et je songe, en pleurant,
A ces soirs d'autrefois — passés dans la pénombre,
Quand Liszt se disait triste et Beethoven mourant.

O vieux piano d'ébène, image de ma vie,
Comme toi du bonheur ma pauvre âme est ravie,
Il te manque une artiste, il me faut l'Idéal;

Et pourtant là tu dors, ma seule joie au monde,
Qui donc fera renaître, ô détresse profonde,
De ton clavier funèbre un concert triomphal ?

Peek-à-boo Villa.

APRÈS 1904

À UNE FEMME DÉTESTÉE

> Car dans ces jours de haine et ces temps de combats
> Je fus de ces souffrants que leur langueur isole
> Sans qu'ils aient pu trouver la Femme qui console
> Et vous remplit le cœur rien qu'à parler tout bas.
>
> Georges RODENBACH

Combien je vous déteste et combien je vous fuis:
Vous êtes pourtant belle et très noble d'allure,
Les Séraphins ont fait votre ample chevelure
Et vos regards couleur du charme brun des nuits.

Depuis que vous m'avez froissé, jamais depuis,
N'ai-je pu tempérer cette intime brûlure:
Vous m'avez fait souffrir, volage créature,
Pendant qu'en moi grondait le volcan des ennuis.

Moi, sans amour jamais qu'un amour d'Art, Madame,
Et vous, indifférente et qui n'avez pas d'âme,
Vieillissons tous les deux pour ne jamais se voir.

Je ne dois pas courber mon front devant vos charmes;
Seulement, seulement, expliquez-moi ce soir,
Cette tristesse au cœur qui me cause des larmes.

À GEORGES RODENBACH

Blanc, blanc, tout blanc, ô Cygne ouvrant tes ailes pâles,
Tu prends l'essor devers l'Eden te réclamant,
Du sein des brouillards gris de ton pays flamand
Et des mortes cités, dont tu pleuras les râles.

Bruges, où vont là-bas ces veuves aux noirs châles ?
Par tes cloches soit dit ton deuil au firmament !
Le long de tes canaux mélancoliquement
Les glas volent, corbeaux d'airain dans l'air sans hâles.

Et cependant l'Azur rayonne vers le Nord
Et c'est comme on dirait une lumière d'or,
O Flandre, éblouissant tes funèbres prunelles.

Béguines qui priez aux offices du soir,
Contemplez par les yeux levés de l'Ostensoir
Le Mystique, l'Elu des aubes éternelles !

BERCEUSE

Quelqu'un pleure dans le silence
    Morne des nuits d'avril;
Quelqu'un pleure la somnolence
    Longue de son exil.
Quelqu'un pleure sa douleur
    Et c'est mon cœur...

POÈMES POSTHUMES

LE TOMBEAU DE CHARLES BAUDELAIRE

Je rêve un tombeau épouvantable et lunaire
Situé par les cieux, sans âme et mouvement
Où le monde prierait et longtemps luminaire
Glorifierait mythe et gnôme sublimement.

Se trouve-t-il bâti colloquialement
Quelque part dans Illion ou par le planistère
Le guenillou dirait un elfe au firmament
Farfadet assurant le reste, planétaire !

O chantre inespéré des pays du soleil,
Le tombeau glorieux de son vers sans pareil
Sois un excerpt tombal au Charles Baudelaire.

Je m'incline en passant devant lui pieusement
Rêvant pour l'adorer un violon polaire
Qui musicât ces vers et perpétuellement.

JE VEUX M'ÉLUDER

Je veux m'éluder dans les rires
Dans les tourbes de gaîté brusque
Oui, je voudrais me tromper jusque
En des ouragans de délires.

Pitié ! quels monstrueux vampires
Vous suçant mon cœur qui s'offusque !
O je veux être fou ne fût-ce que
Pour narguer mes Détresses pires !

Lent comme un monstre cadavre
Mon cœur vaisseau s'amarre au havre
De toute hétéromorphe engeance.

Que je bénis ces gueux de rosses
Dont les hilarités féroces
Raillent la vierge Intelligence !

LA VIERGE NOIRE

Elle a les yeux pareils à d'étranges flambeaux
Et ses cheveux d'or faux sur ses maigres épaules,
Dans des subtils frissons de feuillages de saules,
L'habillent comme font les cyprès des tombeaux.

Elle porte toujours ses robes par lambeaux,
Elle est noire et méchante; or qu'on la mette aux geôles,
Qu'on la batte à jamais à grands fouets de tôles.
Gare d'elle, mortels, c'est la chair des corbeaux !

Elle m'avait souri d'une bonté profonde,
Je l'aurais crue aimable et sans souci du monde
Nous nous serions tenus, Elle et moi par les mains.

Mais, quand je lui parlai, le regard noir d'envie,
Elle me dit: tes pas ont souillé mes chemins.
Certes tu la connais, on l'appelle la Vie !

SOIRS HYPOCONDRIAQUES

Parfois je prends mon front blêmi
Sous des impulsions tragiques
Quand le clavecin a frémi,

Et que les lustres léthargiques
Plaquent leurs rayons sur mon deuil
Avec les sons noirs des musiques.

Et les pleurs mal cachés dans l'œil
Je cours affolé par les chambres
Trouvant partout que triste accueil;

Et de grands froids glacent mes membres:
Je cherche à me suicider
Par vos soirs affreux, ô Décembres !

Anges maudits, veuillez m'aider !

CHRONOLOGIE SYNTHÉTIQUE
D'ÉMILE NELLIGAN [1]

1879 – 24 décembre : Naissance d'Emile Nelligan, à Montréal, 602 rue Lagauchetière. Son père David Nelligan, d'origine irlandaise, est venu au Canada à l'âge de 12 ans, vers l'année 1861; sa mère, Emilie-Amanda Hudon est née à Kamouraska, le 4 mai 1856; leur mariage fut célébré à Rimouski, le 15 juin 1875.

– 25 décembre : Nelligan est baptisé en l'église Saint-Patrice. Le parrain et la marraine sont ses grands-parents: Patrick Nelligan et Catherine Flynn.

1881 – 29 octobre : Naissance d'Eva Nelligan, sœur du poète.

1883 – 22 août : Naissance de Gertrude-Freda Nelligan, sœur du poète.

---

1. Pour plus de renseignements sur la famille et le milieu de Nelligan, nous renvoyons à la *Chronologie d'Emile Nelligan* dressée par Luc Lacourcière, publiée dans *Emile Nelligan, Poésies complètes* (Coll. du Nénuphar), Montréal, Fides, 1952, p. 31-38, à laquelle nous avons emprunté plusieurs détails.

1886 –	31 août	:	Nelligan entreprend ses études primaires à l'école Olier, avenue Des Pins. Une maladie l'oblige pourtant à s'absenter du cours pendant le deuxième semestre.
1887 –	juillet	:	La famille de David Nelligan part en vacances pour Cacouna.
–	31 août	:	Emile Nelligan commence sa deuxième année à l'école Olier. Ses parents louent un appartement au 112, avenue Laval.
1888 –	17 mars	:	Mort de Patrick Nelligan, grand-père du poète. Emile Nelligan est profondément marqué par cet événement.
–	juillet	:	Départ pour Cacouna.
–	3 septembre	:	Emile Nelligan commence sa troisième année à l'école Olier.
1889 –	15 juin	:	Mort de Catherine Flynn Nelligan, grand-mère du poète.
–	4 septembre	:	Nelligan reprend sa troisième année à l'école Olier.
1890 –		:	Après une absence de trois mois de l'école Olier et des vacances à Cacouna, Nelligan entre, le 2 septembre, comme externe au Mont Saint-Louis où il étudiera jusqu'en juin 1893.
1893 –	septembre	:	Nelligan entre au Petit Séminaire de Montréal pour y suivre le cours d'éléments latins. Depuis 1892, il habite avec sa famille au 260, avenue Laval.
1895 –	22 juin	:	Nelligan obtient plusieurs prix au Petit Séminaire de Montréal.

1896 – 2 mars	:	Nelligan entre au Collège Sainte-Marie à l'Etude 2, Externes II. Les notes qu'il obtient au bout de quatorze semaines d'études sont médiocres, exception faite pour l'anglais, l'élocution, la géographie et le latin. Il écrit clandestinement des poèmes [2].
1896 – 4 avril	:	Nelligan rencontre Louis Dantin, de son vrai nom Eugène Seers (1865-1945), lors d'un bazar organisé sous la présidence de Mme Pagnuelo au profit de la chapelle du Très Saint-Sacrement. Nelligan y récite des poèmes en compagnie de Merroy Prendergast et d'Achille-Arthur Masse. Une longue amitié littéraire va se nouer entre Nelligan et Dantin. Il se lie aussi d'amitié avec Joseph Melançon, Arthur de Bussières et Denys Lanctôt. En compagnie de ce dernier, il passe ses vacances d'été à Cacouna.
– 13 juin	:	Sous le pseudonyme d'Emile Kovar, Nelligan voit paraître *Rêve fantasque* dans *Le Samedi*. Le même journal publiera sous le même pseudonyme huit autres poèmes de Nelligan: *Silvio Corelli pleure* (11 juillet), *Nuit d'été* (18 juillet), *La chanson de l'ouvrière* (1er août), *Nocturne* (15 août), *Cœurs blasés* (22 août), *Mélodie de Rubinstein* (29 août),

2. Au sujet des études de Nelligan au Collège Sainte-Marie, voir notre ouvrage *Emile Nelligan*, Ottawa, Editions de l'Université d'Ottawa, 1960, p. 13-17.

			Charles Baudelaire (12 septembre), *Béatrice* (19 septembre).
1897 —	janvier	:	Nelligan échoue aux examens du premier semestre au Collège Sainte-Marie. Il quittera définitivement l'école en mars.
	— 10 février	:	Proposé par son ami Arthur de Bussières, Nelligan entre à l'Ecole littéraire de Montréal, cénacle littéraire, fondé le 7 novembre 1895, par Louvigny de Montigny et Jean Charbonneau.
	— 25 février	:	Nelligan assiste pour la première fois à la réunion de l'Ecole littéraire de Montréal et lit trois de ses poèmes: *Tristia, Carl Vonhder est mourant* et *Sonnet d'une Villageoise.* A partir de ce moment Nelligan ne vit que pour la poésie. Il récite ses poèmes aux réunions du cénacle qu'il fréquente d'ailleurs irrégulièrement. Il publie ses poèmes d'abord dans *Le Monde illustré* et ensuite dans *L'Alliance nationale* et *le Petit Messager du Très-Saint-Sacrement,* revue dirigée par Serge Usène (Eugène Seers).
1898 —	9 décembre	:	Nelligan est réadmis à l'Ecole littéraire de Montréal dont il était exclu à cause de ses absences. Il se propose de donner une conférence sur les poètes étrangers, projet demeuré sans suite [3].

---

3. Certains critiques situent à l'été de 1898 un prétendu voyage de Nelligan à Liverpool. Nos recherches n'ont aucunement permis d'en établir les circonstances. Faute de preuve, il faut considérer ce voyage comme une simple hypothèse.

– 29 décembre	:	Première séance publique de l'Ecole littéraire de Montréal au Château de Ramezay. Nelligan récite avec succès trois de ses pièces: *Un Rêve de Watteau*, *Le Récital des Anges* et *L'Idiote aux cloches*.
1899 – 7 janvier	:	*La Patrie* publie son poème *L'Idiote aux cloches*.
– 24 février	:	Deuxième séance publique de l'Ecole littéraire de Montréal au Monument National. Nelligan récite *Notre-Dame-des-Neiges*, *La Négresse* et *Le Perroquet*.
– 11 mars	:	E. de Marchy, un Français de Paris, de passage à Montréal, publie un compte rendu de la deuxième séance publique de l'Ecole littéraire, critiquant accerbement la poésie de Nelligan. Malveillante, cette critique afflige profondément le jeune poète.
– 7 avril	:	Troisième séance publique de l'Ecole littéraire de Montréal au Château de Ramezay. Nelligan lit *Amour immaculé*, *Petit Vitrail de Chapelle*, *Prière vespérale* et *La Passante*.
– 26 mai	:	Quatrième séance publique de l'Ecole littéraire de Montréal au Château de Ramezay. Nelligan récite *Talisman* et *Rêve d'artiste*. *La Romance du Vin* lui vaut une ovation sans précédent de la part du public.
– 9 août	:	Surmené, Nelligan est conduit à la Retraite Saint-Benoît. Son œu-

vre est à l'état de manuscrit: les journaux n'en ont publié que vingt-quatre poèmes. Grâce au soin de ses amis, d'autres poèmes de Nelligan seront par la suite publiés dans les journaux et revues comme *Les Débats*, *L'Avenir*, *La Patrie*, *Le Nationaliste*, la *Revue canadienne*, le *Journal de Françoise*.

1900 – 2 avril : Publication des *Soirées du Château de Ramezay,* volume collectif de l'Ecole littéraire de Montréal qui contient 17 poèmes de Nelligan.

   – août : Publication des *Franges d'Autel*, anthologie de poésie religieuse, préparée par Serge Usène (Eugène Seers). Nelligan y figure avec cinq poèmes: *Communion pascale*, *Les Communiantes*, *La Réponse du Crucifix*, *Les Déicides* et *Petit Vitrail*.

1902 – : Louis Dantin, ami de Nelligan, publie dans *Les Débats*, entre le 17 août et le 28 septembre, une première étude synthétique sur l'œuvre de Nelligan. Il imprime clandestinement, dans son atelier, des poèmes de son ami.

1903 – mars : La *Revue canadienne* publie sept poèmes de Nelligan avec une présentation de Louis Dantin et une note de Madeleine (Mme Anne-Marie Gleason-Huguenin) annonçant la parution du recueil de Nelligan.

–	septembre :	Louis Dantin doit interrompre l'impression du recueil et s'exiler à Cambridge. La Librairie Beauchemin est chargée de terminer le travail sous la surveillance de Charles Gill et de la mère du poète.
1904 –	février :	Le recueil paraît sous le titre: *Emile Nelligan et son œuvre* avec une préface de Louis Dantin. L'accueil du public est très favorable. Plusieurs amis de Nelligan, — Charles Gill, Robertine Barry, Germain Beaulieu, Jean Charbonneau —, publieront par la suite quelques inédits.
1913 –	6 décembre :	Mort d'Emilie-Amanda Nelligan, mère du poète.
1920 –	:	Publication de l'*Anthologie des Poètes canadiens* par Jules Fournier, préfacée par Olivar Asselin. Dix-huit poèmes de Nelligan y figurent.
1924 –	11 juillet :	Mort de David Nelligan, père du poète.
1925 –	5 mai :	Mort de Gertrude Nelligan Corbeil, sœur du poète.
	– 23 octobre :	Nelligan est transféré à l'Hôpital Saint-Jean-de-Dieu.
	– :	Deuxième édition d'*Emile Nelligan et son œuvre*, publiée par les Editions Edouard Garand.
1932 –	:	Troisième édition d'*Emile Nelligan et son œuvre* par l'Imprimerie Excelsior avec préface de Dantin

et *Notes sur la troisième édition* du Père Thomas-M. Lamarche.

— été   Nelligan passe une journée à la résidence d'été de Gonzalve Desaulniers, à Ahuntsic.

1933 —   : Troisième édition de l'*Anthologie des Poètes canadiens* de Jules Fournier et Olivar Asselin: elle contient treize poèmes de Nelligan.

1941 — 18 novembre : Mort à St-Jean-de-Dieu d'Emile Nelligan.

— 21 novembre : Inhumation d'Emile Nelligan au cimetière de la Côte-des-Neiges. En plus des membres des familles Corbeil et Ladouceur, apparentées au défunt, l'Université de Montréal est représentée aux funérailles par son vice-recteur Mgr E. Chartier, l'Ecole littéraire de Montréal, par Jean-Aubert Loranger et Louis-J. Béliveau, l'Hôpital Saint-Jean-de-Dieu par les docteurs Guillaume Lahaise, Eugène Dufresne et F.-E. Cabana.

1952 — 20 novembre : Publication chez Fides des *Poésies complètes* d'Emile Nelligan, texte établi et annoté par Luc Lacourcière. Fruit de longues recherches, scientifiquement présentée, précédée d'une introduction de grande qualité critique, cette édition, unique dans son genre au Canada, rend justice à Nelligan.

1954 — 30 janvier : Mort à Montréal d'Eva Nelligan, sœur du poète.

| 1960 – | : | Publication de l'ouvrage de Paul Wyczynski, *Emile Nelligan, sources et originalité de son œuvre*, par les Editions de l'Université d'Ottawa. L'auteur étudie l'œuvre de Nelligan dans la perspective de la littérature comparée. |

1966 – 21 juin : Fondation à Montréal de la Société des Amis d'Emile Nelligan par le docteur Lionel Lafleur, ami du poète.

– 18 au 25 novembre : « Semaine Emile Nelligan », organisée à Montréal par la Société des Amis d'Emile Nelligan pour commémorer le 25ième anniversaire de la mort du poète.

BIBLIOGRAPHIE
ŒUVRES DE NELLIGAN

A) *PROSE*

NELLIGAN (Emile-Edwin), *C'était l'automne... et les feuilles tombaient toujours*, dans *Collège Sainte-Marie*, souvenir annuel, album-souvenir publié par les Pères de la Compagnie de Jésus (Montréal), Imprimerie du Messager, 1916-1923, vol. 1, no de l'année 1921, p. 494-495.

> Le texte comprend un devoir de classe de Nelligan, daté du 8 mars 1896. Rare échantillon de sa prose, il annonce déjà les traits originaux de sa poésie, et surtout l'un de ses thèmes préférés, celui de la mort.

B) *POÉSIE*

NELLIGAN (Emile), *Emile Nelligan et son Oeuvre*, Montréal, (Beauchemin), 1903 (?), xxiv-164 p.

> Première édition des poésies de Nelligan préparée par Dantin et ses amis. Bien qu'il soit daté de 1903, le volume ne parut qu'en 1904. En tête du recueil on trouve la préface de Dantin, antérieurement publiée comme une suite d'articles, dans *Les Débats* de 1902.

NELLIGAN (Emile), *Emile Nelligan et son Oeuvre*, Montréal, Edouard Garand, 1925, xxxix-166 p. Simple réédition du volume paru en 1904.

NELLIGAN (Emile), *Emile Nelligan et son Oeuvre*, Montréal (Imprimerie Excelsior), 1932, xlviii-166 p.

> Troisième édition des poésies de Nelligan. Outre la préface de Dantin, on y trouve des *Notes pour la troisième édition* (p. xxxix-xlviii) du père Thomas-M. Lamarche, o.p. Ces *Notes* seront reproduites dans la *Revue dominicaine*, livr. d'octobre 1932, p. 560-571.

NELLIGAN (Emile), *Poésies*, Montréal, Fides, 1945, 232 p.

> Quatrième édition des poésies de Nelligan. A la page 8: *Notes de l'Editeur*. La préface de Dantin

a maintenant pour titre: *Le poète.* Les notes du père Thomas-M. Lamarche, o.p., n'y figurent plus. Les pages 223-228 offrent une liste de variantes.

NELLIGAN (Emile), *Poésies complètes 1896-1899*, Montréal, Fides, collection du Nénuphar, 1952, 331 p.

Cinquième édition des poésies de Nelligan; le texte a été établi et annoté par Luc Lacourcière. Aux cent sept pièces de la première édition, s'ajoutent trente-cinq poèmes découverts dans les journaux et dans les revues, ainsi que vingt poèmes inédits. En plus des données ayant trait à la vie de Nelligan et à la genèse de l'œuvre, on trouve, à la fin du volume, de nombreuses variantes et, parfois, de brefs commentaires littéraires. Soigneusement préparée et à peu près exhaustive, cette édition contribue grandement à la connaissance de l'œuvre de Nelligan.

NELLIGAN (Emile), *Poésies complètes 1896-1899*, Montréal, Fides, collection du Nénuphar, 1958, 331 p.

Cette seconde édition des *Poésies complètes* apporte quelques précisions à la biographie de l'auteur et à l'histoire de l'œuvre. Le sonnet *Ancolie,* qu'on y publie à titre de poème posthume, n'est pas cependant de Nelligan mais de Joséphin Soulary: un papillon à la page 278 en rétablit la paternité.

C) *MANUSCRITS*

1. *Carnets intimes*

CARNET I : un carnet de 125 pages, 6" x 4", couverture en carton noir. Le manuscrit date, selon toute vraisemblance, des années 1922-1924. Ecrits au crayon, les textes pourraient être groupés en quatre catégories: une trentaine de poèmes de Nelligan transcrits de mémoire, textes d'origine française, allant de La Fontaine à Fernand Gregh, cinq poèmes d'auteurs canadiens (Chauveau, Chapman, Gilbert, Lozeau et Pamphile Le May), dix textes anglais, et quelques articles de journaux.

CARNET II : tout petit carnet, 4" x 3", de 78 pages de papier crème que Nelligan avait en sa possession à partir du 31 janvier 1930. Quant au contenu, il ressemble à celui du carnet précédent: notes diverses, poèmes français où Verlaine est surtout en honneur, poèmes anglais avec une très nette préférence pour Thomas Moore, et une vingtaine de poèmes personnels transcrits de mémoire.

CARNET III: du même format que le carnet no 2, ce carnet compte 100 pages dont 64 ont été remplies au crayon par le poète malade. Parmi les poèmes en français et en anglais, figurent ses propres poèmes, transcrits de mémoire comme d'habitude. Un conte, *Noël au Pérou*, mériterait d'être examiné de près [1].

2. *Collection Nelligan-Corbeil*

La plupart des manuscrits de Nelligan qui ont servi à la première édition sont aujourd'hui disparus. Luc Lacourcière a retrouvé la précieuse collection Nelligan-Corbeil qui lui a servi pour la préparation de la cinquième édition des *Poésies complètes* de Nelligan. Dans la section *Notes et variantes*, à la page 316, le critique donne la description détaillée de ce document: « 56 feuillets, sans pagination, dont 21 de papier écolier. Les autres sont des feuillets blancs, jaunis, à peu près de même format, moins 4 pages de brouillon, de couleur brique. Deux feuillets ne sont pas de l'écriture du poète, vraisemblablement de ses sœurs. Tous les autres sont de la main du poète. Ce sont à cinq exceptions près, des transcriptions au propre, d'un seul côté de la page, d'une écriture soignée avec beaucoup de blancs. Certaines pages ne contiennent qu'une ou deux strophes. Deux feuillets contiennent aussi l'ébauche d'un plan en vue de son recueil rêvé sous le titre de *Récital des Anges*. » En somme, nous y trouvons 24 poèmes dont 19 sont inédits et deux y figurent en deux versions. Les poèmes inédits sont: *Le Tombeau de Charles Baudelaire, Petit Hameau, Aubade rouge, Pan moderne, Virgilienne, Château rural, Qu'elle est triste..., Maints soirs, Je veux m'éluder, Prélude triste. La Sorella dell'amore, Frère Alfus, Le suicide d'Angel Valdor, Les Chats, Le Chat fatal, Le Spectre, La Terrasse aux spectres, La Vierge noire, Soirs hypocondriaques.*

---

1. Les deux premiers *Carnets* se trouvent aujourd'hui en la possession de Madame André Laurendeau; le troisième appartient à M. Luc Lacourcière. Nous leur exprimons notre gratitude pour nous avoir permis de consulter ces documents.

3. *Salons allemands* [2]

Manuscrit très précieux, le plus ancien que nous connaissions: il remonte au mois de septembre 1897. Il fait partie d'un album de textes manuscrits, en vers et en prose, offert en cadeau de noces à Louis-Joseph Béliveau, ami de Nelligan et membre de l'Ecole littéraire de Montréal. Le poème de Nelligan, avec l'indice « un sonnet extrait de *Pauvre Enfance* », figure à la page 23, parmi d'autres textes qui sont les témoignages d'amitié de neuf membres du cénacle: Germain Beaulieu, Albert Ferland, Jean Charbonneau, Arthur de Bussières, Gustave Comte, G.-A. Dumont, E.-Z. Massicotte, Henry Desjardins et le docteur Pierre Bédard. Nelligan italianise et francise son nom en signant: « Emil Nélighan ». Il en fera autant pour son *Sculpteur sur marbre*, sonnet publié dans *Le Monde illustré* du 11 décembre 1897.

ÉTUDES SUR NELLIGAN [3]

BASTIEN (Hermas), *Emile Nelligan, poète génial*, dans *Qui ?*, vol. 3, no 2, décembre 1951, p. 25-40.

BEAULIEU (Germain), *Nelligan est-il l'auteur de ses vers ?* dans *Les Idées, 4e année*, no 5, mai-juin 1938, p. 337-348.

BESSETTE (Gérard), *Les Images chez Nelligan*, thèse de maîtrise, Université de Montréal, 1946, 100 p., publié ensuite dans *Les Images en poésie canadienne-française*, Montréal, Beauchemin, 1960, chap. IV, *Emile Nelligan*, p. 215-274.

---

2. Nous avons en notre possession plusieurs manuscrits de poèmes de Nelligan; ils sont pourtant de valeur secondaire, étant les transcriptions de mémoire de poèmes; elles sont postérieures à l'année 1900.

3. La bibliographie ici proposée ne comprend qu'une liste sélective de travaux. Pour plus de détails, le lecteur consultera la bibliographie de notre ouvrage, *Emile Nelligan, sources et originalité de son œuvre*, p. 307-334. Ajoutons que cette bibliographie mise à jour a été publiée dans les *Etudes françaises*, vol. 3, no 3, août 1967, p. 285-298.

ID., *Nelligan et les remous de son subconscient*, dans *L'Ecole littéraire de Montréal, Archives des lettres canadiennes*, Montréal, Fides, 1963, p. 131-149.

CHARBONNEAU (Jean), *L'Ecole littéraire de Montréal*. (Montréal), A. Lévesque, 1935, 320 p., surtout p. 117-126.

DANTIN (Louis), *Emile Nelligan*, dans *Les Débats*, nos 143-149, 17 août au 28 novembre 1902. (Légèrement modifiée, cette étude figure en tête des quatre premières éditions des poésies de Nelligan).

DESROCHERS (Alfred), *Nelligan a-t-il subi une influence anglaise ?* dans *Les Carnets viatoriens*, 16e année, no 3, juillet 1951, p. 187-198, no 4, octobre 1951, p. 300-307.

DUMONT (G.-A.), *L'Ecole littéraire de Montréal*, Réminiscences, Montréal, Librairie G.-A. Dumont, (s.d.) 15 p.

HALDEN (Charles ab der), *Un poète maudit: Emile Nelligan*, dans *La Revue d'Europe et des Colonies*, t. 13, no 1, janvier 1905, p. 49-62.

KIEFFER (Michel-J., c.v.), *L'Ecole littéraire de Montréal*, thèse de maîtrise, Université McGill, 1939, 96 p.

LEVIS (frère, s.c.), *Le Vaisseau d'Or d'Emile Nelligan*, thèse de doctorat en philosophie, Université d'Ottawa. [1950], 233 p.

NADEAU (Gabriel), *Louis Dantin, sa vie et son œuvre*, Manchester, Lafayette, 1948, 253 p.

WYCZYNSKI (Paul), *Emile Nelligan, sources et originalité de son œuvre*, Ottawa, Editions de l'Université d'Ottawa, 1960, 349 p.

ID., *Emile Nelligan* dans *Lectures*, nouvelle série, vol. 6, no 2, octobre 1959, p. 37-39.

ID., *Ecole littéraire de Montréal, origines, évolution, rayonnement*, dans *Ecole littéraire de Montréal, Archives des lettres canadiennes*, t. II, Montréal, Fides, 1963, p. 11-36.

ID., *Poésie et symbole*, Montréal, Librairie Déom, 1965, 253 p. surtout: *Nelligan — poète de l'inquiétude*, p. 81-108.

TABLE DES MATIERES

*Achevé d'imprimer sur les presses des Editions Fides,
à Montréal, le deuxième jour du mois de février
de l'an mil neuf cent soixante-huit.*